Y BEIBL CYMRAEG NEWYDD

CYFRES O ESBONIADAU

Efengyl Ioan

gan

DESMOND DAVIES

© Pwyllgor y Beibl Cymraeg 2005 ℗

ISBN 1-903314-74-7

Argraffwyd yng Nghymru

Dymuna'r cyhoeddwyr gydnabod cymorth
Adrannau Cyngor Llyfrau Cymru.

Clawr: Elgan Davies

Cyhoeddwyd gan
Wasg Pantycelyn, Caernarfon
ar ran
Pwyllgor y Beibl Cymraeg

Argraffwyd gan Wasg y Bwthyn, Caernarfon

Y BEIBL CYMRAEG NEWYDD
CYFRES O ESBONIADAU

Golygydd:
Yr Athro Gwilym H. Jones

Golygydd Cynorthwyol:
Yr Athro D.P. Davies

Y bwriad yn y gyfres hon yw cyhoeddi ·
dwsin o esboniadau ar rai o lyfrau'r Beibl,
dau bob blwyddyn, un ar yr Hen Destament
ac un ar y Testament Newydd. Byddant yn
dilyn y cyfieithiad o'r Ysgrythur sydd yn
Y Beibl Cymraeg Newydd. Amcan y gyfres yw
esbonio mor syml ac uniongyrchol ag sydd
bosibl gynnwys llyfrau'r Beibl. Y mae pob un
o'r awduron yn arbenigwr yn ei faes. Iaith y
gwreiddiol, boed Hebraeg neu Roeg, yw
maes rhai, ac y mae eraill wedi troi i feysydd
diwinyddol eraill. Fodd bynnag, y mae pob
un yn gyfarwydd â chefndir hanesyddol a
diwinyddol ac â thueddiadau esboniadol y
maes a drafodir. Ond fe benderfynwyd
cadw'r drafodaeth ar y pynciau hyn yn y
cefndir a chyflwyno'n unig yr hyn sy'n gwbl
angenrheidiol i ddeall y testun. Ffrwyth
ysgolheictod beiblaidd a welir yn y gyfres, ac
nid manylion y trafod. Y nod yw cyflwyno'n
glir ac yn ddealladwy yr hyn y mae'r geiriau
a gofnodwyd yn y Beibl yn ei gyfleu.

RHAGAIR

Sawl tro yn ystod y blynyddoedd cefais gyfle i gyflwyno Efengyl Ioan, o safbwynt ei chefndir a'i chynnwys, i ddisgyblion safon A (ym Mhwllheli ac yng Nghaerfyrddin), a hefyd i fyfyrwyr yn yr Adran Diwinyddiaeth ac Astudiaethau Crefydd yng Ngholeg y Drindod, Caerfyrddin a oedd yn astudio'r Testament Newydd fel rhan o'u cwrs gradd. Felly, pan dderbyniais wahoddiad caredig oddi wrth Gydbwyllgor Cyfiethu'r Beibl Cymraeg i baratoi esboniad, ni bu'n rhaid imi betruso'n hir cyn dewis maes wrth fodd fy nghalon. Ceir yn y Bedwaredd Efengyl ddyfnder defosiynol a diwinyddol a'i gwna yn ddogfen unigryw, ac nid yw'n syndod clywed rhywrai'n taeru mai dyma eu hoff lyfr o holl lyfrau'r Beibl. Prin y gellir anghytuno â'r farn honno, ond wedi dweud hynny ni ellir anwybyddu'r anawsterau esboniadol a ddaw i'r amlwg, yn arbennig wrth gymharu Efengyl Ioan â'r tair efengyl arall. Cyfyd hefyd rhai problemau cyfoes, er enghraifft, agwedd dybiedig yr awdur tuag at y genedl Iddewig, ac ymhlygiadau hynny i'r gwrthdaro trasig sy'n digwydd heddiw ar dir a daear Israel. Ceisiwyd mynd i'r afael â rhai o'r cwestiynau dyrys hyn wrth lunio'r esboniad, a gellir yn hawdd ragweld y bydd eu codi yn yr ystafell ddosbarth neu yn yr Ysgol Sul yn rhwym o arwain at drafodaeth fywiog.

Yr wyf yn dra diolchgar i olygydd y gyfres, yr Athro Gwilym H. Jones, ynghyd â'r golygydd cynorthwyol, yr Athro D. P. Davies, am bob cyngor a chyfarwyddyd; i'm cyfaill, y Parchedig John Rice Rowlands (cyn-Brifathro Coleg y Bedyddwyr, Bangor), am ddarllen y deipysgrif wreiddiol â'i graffter a'i

fanylder arferol, ac awgrymu llawer o gywiriadau a gwell-
iannau; a hefyd i staff Gwasg Pantycelyn am sicrhau glendid yr
argraffwaith. Dyledwr ydwyf yn wir.

Desmond Davies,
Caerfyrddin.

RHAGARWEINIAD

Yr oedd awdur y Bedwaredd Efengyl yn ŵr o athrylith ddiamheuol. Ynghyd â bod yn ddiwinydd galluog yr oedd hefyd yn athronydd treiddgar, a'r gallu ganddo i ymdrin yn ddeheuig â syniadaeth boblogaidd ei gyfnod. Llwyddodd yn rhyfeddol i ddehongli arwyddocâd person a gwaith Iesu yng ngoleuni cefndir cysyniadol ei oes, gan bontio'r gagendor rhwng y byd Iddewig-Gristionogol a'r byd Helenistaidd. Rhoes inni efengyl sy'n gyfoethocach nag eiddo'r Synoptiaid; llunio efengyl i'r Iddewon a wnaeth Mathew, ac ysgrifennu'n bennaf ar gyfer y Cenhedloedd a wnaeth Luc, ond y mae Efengyl Ioan yn un fyd-eang, a'i phwyslais ar arwyddocâd cosmig Crist. Y mae ei delweddau canolog – *bara, dŵr, gwin, goleuni, bugail* – yn symbolau sy'n eiddo i'r holl fyd ac sy'n rhan o brofiad dyn ar hyd y cenedlaethau.

Y mae'r awdur yn artist celfydd. Ac yntau â diddordeb amlwg mewn trefn a chronoleg (gwelir bod y digwyddiadau yng ngweinidogaeth Iesu'n troi o gwmpas y tair prif ŵyl Iddewig – y Pasg, y Pentecost a'r Pebyll), dewisodd ei ddeunydd yn ofalus ac i bwrpas. Detholodd saith 'arwydd', a saith ymadrodd 'Myfi yw', *ego eimi*, (cofier bod saith yn rhif perffaith a chysegredig yng ngolwg yr Iddew), pob un ohonynt yn gyflawn ynddo'i hun, ac eto'n perthyn i'r gweddill fel ffasedau ar wyneb diamwnt. Rhannodd ei efengyl yn ddwy ran, sef (i) hanes gweinidogaeth Iesu wedi ei phatrymu ar yr 'arwyddion' (pen. 1-12), a (ii) hanes y Swper Olaf, y Dioddefaint a'r Atgyfodiad (pen. 13-21). Yn y rhan gyntaf gwelir bod yr anerchiadau meithion (sydd mor

7

nodweddiadol o Efengyl Ioan – ac mor annodweddiadol o'r Efengylau Cyfolwg), yn seiliedig ar yr arwyddion, fel bo'r arwydd a'r anerchiad, yn ddieithriad, yn cynnal ac yn egluro ei gilydd, e.e. y mae iacháu'r dyn dall (9: 1-12) yn rhan annatod o'r ddysgeidiaeth am Iesu, 'goleuni'r byd'. Nid digon gan Ioan yw datgan mai Iesu yw'r 'atgyfodiad a'r bywyd' (11: 25); rhaid iddo roi enghraifft eglurhaol o'r modd y gall hynny ddod yn brofiad i'r credadun trwy amlinellu hanes atgyfodi Lasarus. Y mae'r gwyrthiau'n fwy na gwyrthiau; maent yn 'arwyddion' o wirioneddau ysbrydol, arhosol. Y mae Iesu'n bwydo'r dyrfa, ac felly'n diwallu angen materol ei wrandawyr; ond ef, hefyd, yw 'bara'r bywyd' sy'n diwallu anghenion dyfnaf yr enaid. Arferai'r Groegwr wahaniaethu rhwng gwedd allanol gwrthrych ('cnawd') a'r dimensiwn uwch a thragwyddol a berthyn iddo ('ysbryd'), gan ddadlau fod y byd naturiol, creëdig, darfodedig, yn fynegiant o realiti sydd y tu hwnt i'r byd, ac sy'n ddigyfnewid. Adlewyrchir yr athroniaeth hon yn y Bedwaredd Efengyl; y mae'r cyffredin yn symbol o'r anghyffredin, a'r gweledig yn 'arwydd' o'r anweledig. Dyma pam y dylid gochel gorlythrenoli trosiadau Ioan; o'u gorsymleiddio, a'u dehongli'n unig o safbwynt llythrennol, simplistig, y mae perygl mawr iddynt golli eu heffaith a'u gwir arwyddocâd.

Fel llenor medrus y mae'r awdur yn feistr ar naratif (e.e. y mae hanes y wraig o Samaria yn llifo mewn modd cwbl naturiol a chredadwy), ac nid yw'n brin o wneud defnydd o nifer o ddyfeisiau llenyddol. Un ohonynt yw amwysedd; ceir sawl enghraifft o Iesu, o fwriad, yn gwneud datganiad amwys, ysgubol, a gamddeëllir gan ei wrandawyr, ac sydd felly'n hawlio eglurhad pellach (gweler y cyfeiriad at 'y deml' (2: 19); 'geni drachefn' (3: 3); y 'dŵr bywiol' (4: 10); y 'gwir fara o'r nef' (6: 32). Offeryn arall a ddefnyddia yw eironi, sef techneg y dramodydd. (Yn ôl J. C. Fenton y ffordd orau i ddeall Efengyl Ioan yw o safbwynt drama.) Y mae'r elfen eironig mewn gosodiadau megis, '...ond yr wyt ti wedi cadw'r gwin da hyd yn awr' (2: 10), ac 'A wyt ti'n fwy na Jacob, ein tad ni...?' (4: 12), yn gwbl amlwg. Hefyd, fe wna ddefnydd effeithiol o gyfystyron, sef gosod dau ymadrodd gwahanol, ond cyfystyr, ochr yn ochr â'i gilydd er mwyn pwyslais, e.e. 'Ni bydd eisiau bwyd byth ar y sawl sy'n dod ataf fi, ac ni bydd syched byth ar y sawl sy'n credu ynof fi' (6: 35).

Cynhwysir yn y Prolog y pedwar gair sy'n hollol greiddiol i ddealltwriaeth Ioan o hanfodion yr Efengyl, sef *bywyd, goleuni, cariad* (*gras*, sef gradd eithaf cariad, yw'r term a geir yn y Prolog), a *gwirionedd*, ac yng nghorff yr efengyl ymdrinir yn llawnach â'u harwyddocâd. Am yr hwn y dywedir amdano yn y Prolog ei fod yn 'fywyd', adroddir amdano yn y penodau dilynol mai ef yw 'bara'r bywyd' (6: 35), yr un sy'n ffynhonnell y dŵr 'sy'n ffrydio i fywyd tragwyddol' (4: 14), sy'n rhoi 'bywyd ... yn ei holl gyflawnder' (10: 10), ac sy'n cynnig 'bywyd tragwyddol' (3: 16; 6: 47) i bwy bynnag a gred ynddo. Yn wir, yn 20: 31 eglura'r awdur mai holl ddiben 'cofnodi' yr hyn a gyflawnodd ac a lefarodd Iesu yw 'er mwyn i chwi gredu mai Iesu yw'r Meseia, Mab Duw, ac er mwyn i chwi trwy gredu gael bywyd yn ei enw ef'. Nid trindod y Tad, y Mab a'r Ysbryd Glân a geir yn Ioan (cofier nad oedd yr athrawiaeth drindodaidd wedi datblygu'n llawn adeg ysgrifennu'r efengyl), ond yn hytrach trindod *bywyd, goleuni* (sydd, wrth gwrs, yn cynnwys *gwirionedd*) a *chariad*. Er hyn, rhoddir mwy o le i'r Ysbryd Glân yn y Bedwaredd Efengyl nag a wneir yn un o'r lleill. Ceir yr ymdriniaeth lawnaf arno yn yr Anerchiadau Ffarwel (pen. 14-16), lle y gelwir ef yn 'Eiriolwr' ac 'Ysbryd y Gwirionedd', dau enw sy'n darlunio'i gymeriad ynghyd ag egluro natur ei waith.

Yr Awdur, Dyddiad a Man Ysgrifennu

Pwy yn union, felly, oedd yr awdur? Try'r ddadl o gwmpas y cwestiwn ai Ioan, fab Sebedeus (un o ddisgyblion cynharaf Iesu, a llygad-dyst i'w weinidogaeth), yw'r awdur, neu ryw Ioan arall sy'n adnabyddus o'r traddodiad Cristionogol cynnar? Yn y

9

Dernyn Muratori (c. 170 OC) adroddir stori am gyd-ddisgyblion a chyd-esgobion Ioan yr Apostol, yn ei gymell i ysgrifennu efengyl. Gwahoddodd yntau hwynt i ymprydio gydag ef am dridiau, ac ar ddiwedd y cyfnod i gyflwyno adroddiad am unrhyw ddatguddiad a ddaethai i'w rhan. Y noson honno cafodd Andreas weledigaeth y dylai Ioan ysgrifennu'r cwbl i lawr yn ei enw ei hun. Yn ei draethawd, *Yn Erbyn Heresïau* (c. 185 OC), ysgrifenna Irenaeus, esgob Lyons: '…yna, Ioan, disgybl yr Arglwydd, yr hwn hefyd a bwysai ar ei fynwes, a gyhoeddodd yr Efengyl ac yntau'n preswylio yn Effesus yn Asia'. Sail awdurdod Irenaeus dros wneud y gosodiad hwn oedd y ffaith ei fod yn adnabod Polycarp (esgob hirhoedlog Smyrna yn Asia Leiaf), a bod Polycarp yn ddisgybl i Ioan o Effesus. Yr hyn sy'n cymhlethu tystiolaeth y canrifoedd cynnar yw'r ffaith fod dau 'Ioan' yn Effesus, sef Ioan yr Apostol a Ioan yr Henuriad. Ac o gofio am ddisgrifiad Luc o Ioan yr Apostol yn nhermau 'lleygwr annysgedig' (Act.4: 13), fe'n temtir i holi a fedrai yntau, ac yntau'n ŵr o alluoedd cyffredin, gynhyrchu efengyl mor athronyddol a chyfriniol ei naws?

O droi at yr efengyl ei hunan gwelir mai yn y teitl yn unig y digwydd yr enw 'Ioan'. Ceir yr unig gyfeiriad at 'feibion Sebedeus' yn 21: 2, ond y mae chwe chyfeiriad at 'y disgybl yr oedd Iesu'n ei garu', ac y mae 21: 24 fel pe bai'n awgrymu mai ef yw awdur yr efengyl. Dywedir am y Disgybl Annwyl, ei fod (i) yn bresennol yn y Swper Olaf, ac iddo bwyso ar fynwes Iesu; (ii) ei fod wrth droed y groes, ac i Iesu gyflwyno Mair i fod yn fam iddo, ac yntau'n fab iddi hi; (iii) mai ef, a Simon Pedr, a hysbyswyd gan Fair o Fagdala fod y bedd yn wag; (iv) iddo ddweud wrth Pedr mai'r Arglwydd oedd yn sefyll ar lan môr Tiberias; (v) bod Pedr wedi holi Iesu ynghylch ei ddyfodol (21: 20-21), ac i draddodiad ddatblygu na fyddai'r disgybl hwn byth yn marw (21: 23).

Tuedd traddodiad fu uniaethu'r 'disgybl yr oedd Iesu'n ei garu' â Ioan, fab Sebedeus. O dderbyn mai'r Disgybl Annwyl yw awdur yr efengyl buasai hynny'n esbonio pam iddo ddewis hepgor ei enw o gorff yr efengyl. Ar y llaw arall y mae rhesymau dilys dros beidio uniaethu Ioan, fab Sebedeus, â'r Disgybl Annwyl: (i) y mae'r ymadrodd 'y disgybl yr oedd Iesu'n ei garu' yn un anarferol, ac yn gosod y person a ddisgrifir mewn dosbarth ar ei ben ei hun; (ii) ceir yr argraff fod y Disgybl Annwyl yn berson braidd yn afreal sy'n ymddangos mewn golygfeydd hynod o emosiynol, megis y Swper Olaf. Awgrymwyd nad person o gig a gwaed mohono, ond delfryd – cynrychiolydd math charismataidd ar Gristionogaeth, tra bo Pedr yn cynrychioli Cristionogaeth sefydliadol, gyfundrefnol.

Erbyn hyn y duedd yw cyfaddawdu ar gwestiwn awduraeth y Bedwaredd Efengyl, a chynnig mai gwaith disgybl neu ddisgyblion ffyddlon i Ioan yr Apostol yw'r efengyl, a dylanwad yr athro, wrth reswm, yn drwm ar feddwl ei ganlynwyr. Y mae rhesymau da dros gredu i Ioan, fab Sebedeus, ac un o ddisgyblion Iesu, ymsefydlu a gweinidogaethu yn Effesus (cofier am eiriau Irenaeus), ac iddo gasglu nifer o ddisgyblion o'i gwmpas a'u ffurfio'n ysgol ddiwinyddol. Damcaniaethir, felly, mai o blith yr ysgol hon o ddisgyblion yr apostol Ioan y tarddodd llenyddiaeth Ioan, ac i'r llenyddiaeth hon gael ei chynnwys yng nghanon y Testament Newydd am fod grym awdurdod apostolaidd y tu ôl iddi.

I lawer o ysgolheigion yr hyn sy'n datrys problem dyddiad ysgrifennu'r efengyl yw'r cyfeiriadau a geir ynddi at 'dorri allan o'r synagog' (9: 22 a 16: 2; cymh. 9: 34, 35; 12: 42). Ddiwedd y ganrif gyntaf OC penderfynodd yr Iddewon ddiarddel o'u synagogau pwy bynnag a oedd yn amharod i adrodd y Ddeunaw Bendith, ac fe ychwanegwyd at y bendithion hynny yr ymadrodd 'melltith ar yr hereticiaid'. Wrth reswm, yr oedd 'unrhyw un a fyddai'n cyffesu Iesu fel Meseia' (9: 22) i'w ystyried yn heretic. Y canlyniad oedd i Gristionogion a oedd yn dal i fynychu'r synagog golli eu lle ynddi. Digwyddodd hyn tua 85-90 OC, a chan fod yr efengyl yn cyfeirio'n benodol at y digwyddiad hwn, yr arfer yw ei dyddio hithau rywbryd rhwng 90 a 95 OC.

Ioan a'r Efengylau Cyfolwg

Gelwir y tair efengyl gyntaf yn Efengylau Synoptaidd (Groeg *sun*: gyda'i gilydd; *opsis*: golwg) am eu bod yn cydweld â'i gilydd ynghylch trefn gyffredinol y digwyddiadau ym mywyd Iesu, a hefyd am fod y tebygrwydd ieithyddol sydd rhyngddynt yn drawiadol. Y mae'r Bedwaredd Efengyl yn wahanol iddynt mewn llawer o ffyrdd:

(1) Yn Ioan ceir llai o naratif a mwy o drafod athronyddol – hynny, gan amlaf, mewn areithiau meithion, cymhleth.

(2) Ni chyfeiria Ioan at y digwyddiadau canlynol ym mywyd Iesu: y geni; y bedydd; y temtiad; ei ymweliad â'r deml yn fachgen deuddeg oed; ei weinidogaeth gychwynnol yng Nghapernaum; ei gyfathrach â chasglwyr trethi a phechaduriaid; anfon allan y Deuddeg; y gweddnewidiad; ei daith olaf i Jerwsalem; ei ing yng Ngethsemane; sefydlu'r Cymun Cristionogol yn ystod y Swper Olaf. Yn wahanol i'r adroddiad Synoptaidd, dywed Ioan fod yr esgyniad ynghyd â dyfodiad yr Ysbryd Glân yn digwydd ar yr un dydd yn union â'r atgyfodiad. Y mae rhai o brif gymeriadau'r Efengylau Cyfolwg (e.e. y llywodraethwr ifanc, cyfoethog; y Samariad gwahanglwyfus; Bartimeus; Sacheus) ar goll yn Ioan, ond fe'n cyflwynir ganddo yntau i gymeriadau nad yw'r lleill yn sôn amdanynt o gwbl, e.e. Nicodemus; y wraig o Samaria. Ni cheir yr un ddameg yn Efengyl Ioan, ond yn hytrach alegorïau cywrain sydd, fel arfer, yn egluro un o'r dywediadau 'Myfi yw'. Ni chyfeirir o gwbl at y Bregeth ar y Mynydd.

(3) Ceir pedair enghraifft lle mae cronoleg Ioan yn wahanol i eiddo'r gweddill:

(i) Cyfeiria Ioan at dair Gŵyl y Pasg (2: 13; 6: 4; 12; 1), sy'n golygu fod gweinidogaeth gyhoeddus Iesu yn parhau am o leiaf ddwy flynedd. Yr unig Basg y sonnir amdano gan y Synoptiaid yw hwnnw pan groeshoelir Iesu; yn ôl eu hadroddiad hwy nid â Iesu i fyny i Jerwsalem ond un waith, sef ar gyfer yr Wythnos Olaf, ond yn Ioan y mae'n mynd i fyny i'r brifddinas yn rheolaidd.

(ii) Yn yr Efengylau Cyfolwg nid yw Iesu'n dechrau ar ei weinidogaeth hyd nes i Ioan Fedyddiwr gael ei garcharu. Diflaniad y Bedyddiwr o'r llwyfan yw'r arwydd i Iesu ddechrau ar ei waith. Yn Ioan y mae'r ddau ohonynt yn cydweinidogaethu am gyfnod.

(ii) Yn Ioan y mae Iesu'n Glanhau'r Deml yn Jerwsalem yn syth wedi iddo ddechrau ar dymor ei weinidogaeth, cyn iddo, yn wir, gychwyn ar ei genhadaeth yng Ngalilea. Yn y lleill digwydd hyn yn ystod yr Wythnos Olaf.

(iv) Tra bo'r pedair efengyl yn cytuno i'r Swper Olaf gael ei gynnal ar y nos Iau cyn dydd Gwener y croeshoeliad, ni chytunant ynghylch dyddiad y Pasg y flwyddyn arbennig honno. Yn ôl Marc a Mathew roedd y Pasg ar y dydd Iau,neu nos Iau, a'r Swper Olaf, felly, yn wledd y Pasg. Yn ôl Ioan, roedd y Pasg ar y dydd Gwener,neu nos Wener, a Iesu, o ganlyniad, yn trengi ar y groes ar yr union adeg pan oedd ŵyn y Pasg yn cael eu haberthu yn y deml, sef rhwng 12 a 3 o'r gloch y prynhawn. Mae'n dilyn, felly, na allai'r swper y noson cynt (beth bynnag arall ydoedd) fod yn wledd y Pasg Iddewig.

(Mae'n bwysig nodi y bu tuedd yn y gorffennol i ddadlau mai bwriad Ioan oedd cyfansoddi efengyl 'ysbrydol', ac iddo fod braidd yn ddibris o gywirdeb cronolegol, h.y. ni phetrusai addasu dyddiadau ac amserau er mwyn iddynt ffitio ei ffrâm ddiwinyddol. Prin y derbynnir hyn heddiw. Yn wir, ceir rhai ysgolheigion cyfoes sy'n barod i haeru fod amseru Ioan yn gywirach nag eiddo'r awduron Synoptaidd; lle bo amrywiaeth yn yr adroddiadau, fe all mai Ioan sy'n gywir.)

(4) Y mae'r portread o berson Iesu'n wahanol iawn yn Ioan i'r darlun a geir gan y lleill:

(i) Ni cheir unrhyw awgrym o'r 'gyfrinach feseianaidd' sydd mor nodweddiadol o Marc. Yn Marc y cyntaf i adnabod Iesu fel y Meseia yw Simon Pedr (8: 29), hynny ar ôl cyfnod hir o baratoi, ond yn Ioan cyffesir o'r cychwyn cyntaf, ac yn gwbl agored, mai Iesu yw 'Oen Duw' (1: 36) a'r 'Meseia' (1: 41).

(ii) Yn yr Efengylau Cyfolwg y mae Iesu'n un sydd mewn cysylltiad agos â bywyd bob dydd, ac y mae'r darluniau ohono yn rhai cartrefol a chyfeillgar. Gwahanol iawn yw'r argraff a geir ohono yn alegorïau'r Bugail Da a'r Winwydden. Yn y Bedwaredd Efengyl y mae Iesu'n siarad llawer mwy amdano'i hun, ac mewn termau llawer mwy haniaethol, fel y dengys yr ymadroddion 'Myfi yw'. Nid cymharu Israel â gwinllan a wna (gweler Es. 5: 7), ond cyhoeddi, 'Myfi yw'r wir winwydden' (15: 1, 5).

(iii) Fel y dengys D. Protheroe Davies y mae cryn newid yn awyrgylch diwinyddol Efengyl Ioan. Yn yr Efengylau Cyfolwg prif fyrdwn cenadwri Iesu yw cyhoeddi dyfodiad teyrnas Dduw; yn Ioan canolbwyntia ar ddehongli arwyddocâd ei berson ei hunan, a'i berthynas â Duw.

(5)   Yn wahanol i'r efengylau eraill, eschatoleg (sef Athrawiaeth y Pethau Diwethaf) 'gyflawnedig' a geir yn Efengyl Ioan, yn yr ystyr bod y disgwyliadau am y dyfodol eisoes wedi eu gwireddu. Y mae'r 'oes a ddêl' eisoes wedi cyrraedd yn a thrwy ddyfodiad Iesu, ac y mae 'bywyd tragwyddol' eisoes yn eiddo i'r credadun yn y presennol, yn y byd hwn o amser. Y mae barn Duw hefyd ar waith eisoes, yn didoli rhwng drwg a da.

Felly, o ystyried y gwahaniaethau uchod, byddai'n hawdd dod i'r casgliad bod Efengyl Ioan yn ddogfen gwbl wahanol i'r efengylau eraill, heb fawr o gytundeb rhyngddynt. Nid gwir hynny. Y mae sawl enghraifft lle mae Ioan a'r tair efengyl arall yn cydsynio â'i gilydd, a hynny mewn manylder, e.e. (i) yn yr adroddiad o'r eneinio ym Methania, y mae Marc a Ioan yn nodi mai pris yr ennaint oedd *deg punt ar hugain* (300 denarius), ond yn erbyn Marc a gyda Luc, dywed Ioan i'r wraig sychu traed Iesu â gwallt ei phen; (ii) yn yr hanes am iacháu'r dyn cloff defnyddia Ioan yr un gair â Marc am 'wely' (Groeg: *krabbatos* = gwely dyn tlawd), a'r un yw gorchymyn Iesu i'r claf.

Gofynnir, felly, a oedd gan awdur y Bedwaredd Efengyl gopi o'r Efengylau Cyfolwg (neu adrannau ohonynt) yn ei law, ac iddo ailddehongli eu hadroddiad hwythau er mwyn cyflwyno ei fersiwn unigryw yntau o weinidogaeth Iesu? Prin yw'r gefnogaeth i'r ddamcaniaeth hon. Yr hyn a gredir erbyn hyn yw bod gan awduron yr efengylau 'draddodiadau' (yn gymysg o naratif ac ymadroddion) a ddefnyddiwyd ganddynt yn ffynonellau gwybodaeth am fywyd a gwaith Iesu. Roedd rhai o'r 'traddodiadau' a oedd yn llaw Ioan yn cydweld â'r rhai oedd ym meddiant yr efengylwyr eraill, a hynny sy'n esbonio'r tebygrwydd rhyngddynt. Ond yr oedd gan Ioan draddodiadau cynnar eraill at ei wasanaeth, rhai ohonynt yn ymestyn yn ôl i gyfnod cynnar iawn yn hanes y cymunedau Cristionogol, ac a oedd yn cynnwys cywirach darlun, o dro i dro, o weinidogaeth

Iesu. Hyn, yn rhannol, sy'n esbonio'r gwahaniaethau rhwng Ioan a'r Synoptiaid. Ceir barn gynyddol yn awr fod y Bedwaredd Efengyl yn pwyso ar draddodiad am weinidogaeth Iesu sy'n annibynnol ar yr adroddiad Synoptaidd, sy'n dwyn olion amlwg o'i darddle ym Mhalesteina, ac sydd, ar brydiau, yn rhagori, o bosibl, ar y cofnod Synoptaidd. Mae'n dra thebyg i'r gwaith o gasglu'r defnyddiau ar gyfer ysgrifennu'r efengyl ddechrau ar dir a daear Palesteina, ac iddo gael ei gwblhau yn Effesus. Golygwyd yr efengyl yn ddiweddarach; dyma pryd yr ychwanegwyd cynnwys pen. 21.

Cristoleg Ioan

Mewn diwinyddiaeth gyfoes yr arferiad yw ystyried person Iesu o un o ddau gyfeiriad, sef naill ai 'oddi uchod' (dechrau gyda Duw, a chaniatáu i'r diffiniad o Dduw benderfynu'r modd y diffinir Iesu), neu 'oddi isod' (dechrau gyda'r hyn a wyddom am Iesu hanes, a hynny, wedyn, yn ein harwain at ddeallltwriaeth o natur Duw). Y mae Ioan yn gwneud defnydd o'r ddwy ffordd. Y mae pwyslais digamsyniol ganddo ar ddyndod Iesu, ond nid yw hynny'n tynnu dim oddi wrth ei ddwyfoldeb. Gosodir y ddwy wedd ar ei berson gyfochr â'i gilydd; ef yw'r **Gair** sy'n dyfod yn **gnawd** (1: 14). Y mae Iesu'n eistedd yn flinedig wrth y ffynnon, ac y mae syched arno (4: 6-8), ond erbyn i'r disgyblion ddychwelyd â bwyd iddo y mae yntau wedi ei ddiwallu'n wyrthiol (4: 31,32). Y mae Iesu, o dan 'deimlad dwys', yn wylo wrth fedd ei gyfaill Lasarus, ond y mae ei ddagrau'n cael eu camddehongli (11: 35-37). Nid yw ei weddi wrth y bedd i'w deall mewn termau dynol (11: 41-42). Er bod Iesu'n hawlio ei fod yn un â'r Tad, eto'i gyd y mae'n dibynnu'n llwyr ar Dduw (14: 28). Perthyn iddo nodweddion 'arallfydol', ac eto dangosir ei fod yn israddol i'r Tad. 'Nid Bod Dwyfol yn ffugymrithio fel dyn yw'r Logos – Grist; y mae'n Air ac yn gnawd, y naill a'r llall gyda'i gilydd' (R.H. Strachan).

Bu cryn drafod ar y cwestiwn a yw Cristoleg Ioan yn

adlewyrchu dealltwriaeth yr Eglwys Fore o berson Iesu yn fwy o lawer na dealltwriaeth Iesu ohono'i hun? Yn sicr yn Ioan ceir nifer o ddatganiadau Cristolegol *exclusive* nad oes tebyg iddynt yn y tair efengyl arall (e.e.: 10: 8; 14: 6, 7). Ai geiriau Iesu hanes yw'r rhain, ynteu ymadroddion a osodwyd ar ei wefusau mewn cyfnod pan oedd Cristionogaeth o dan warchae, a hithau'n gorfod codi muriau cedyrn, a chau'r pyrth, i'w hamddiffyn ei hun yn erbyn ymosodiadau ei gwrthwynebwyr? O dan amgylchiadau o'r fath peth cwbl naturiol, a dealladwy, oedd i'r eglwys lefaru mewn termau digyfaddawd a gwahaniaethol. Un o'r tasgau anodd a chymhleth sy'n wynebu esbonwyr yr efengylau heddiw yw gwahaniaethu rhwng y deunydd sy'n deillio, yn ddiamheuol, heb ei addasu na'i gymhwyso, o waith a dysgeidiaeth Iesu ei hunan, a hwnnw sy'n gynnyrch pregethu'r eglwys yn dilyn y Pentecost. Prin y gellir amau i awdur y Bedwaredd Efengyl bwyso'n drwm, am lawer o'i ffeithiau hanesyddol, ar dystiolaeth llygad-dyst(ion), ond yr hyn sydd yr un mor amlwg yw iddo wau'r ffeithiau hynny, mewn modd cywrain anghyffredin, i mewn i'w bortread diwinyddol, defosiynol ac unigryw ef ei hunan o'r Crist.

Yr Iddewon

Rhoddwyd cryn sylw yn ddiweddar i'r hyn a elwir gan rai yn 'wrth-Semitiaeth' Ioan. Ym mhen. 7-9 ceir gwrthdaro ffyrnig rhwng Iesu a'r Iddewon: i bob pwrpas y mae Iesu'n eu dal yn gyfrifol am ei farwolaeth (8: 28, 37, 40, 59; cymh. 7: 1); dadleuant yn chwyrn â'i gilydd ynghylch pwy yw tad Iesu?; pwy yw Iesu ei hunan?; pwy yw gwir ddisgynyddion Abraham?; pwy yw tad yr Iddewon (ai Abraham ai'r diafol)?; a yw Iesu wedi ei feddiannu gan gythraul? O ganlyniad gwna'r Iddewon ymgais i'w labyddio (8: 59). O'r ochr arall, er bod 'Iddewon' (Groeg: *Ioudaioi*) yn derm o waradwydd yn y Bedwaredd Efengyl, defnyddir 'Israel' ac 'Israeliad' mewn modd llawer mwy positif ac anrhydeddus. Y mae Nathanael yn 'Israeliad gwerth yr enw'

(1: 47); swyddogaeth Ioan Fedyddiwr yw bedyddio â dŵr er mwyn i Iesu 'gael ei amlygu i Israel' (1: 31); y mae Iesu ei hunan yn 'Frenin Israel' (1: 49).

Yr hyn sy'n gefndir i hyn oll yw'r rhwyg a ddigwyddodd rhwng Iddewiaeth a Christionogaeth erbyn diwedd y ganrif gyntaf OC, pryd y gwelwyd y berthynas rhwng yr eglwys a'r synagog yn dirywio'n enbyd. Ceir enghraifft berffaith o hyn yn ymateb y Phariseaid i'r dyn y rhoddwyd iddo'i olwg gan Iesu: *Ti sy'n ddisgybl i'r dyn. Disgyblion Moses ydym ni* (9: 28). Dyna dynnu llinell derfyn bendant rhwng canlynwyr Iesu a'r sawl a lynai wrth yr hen ffydd draddodiadol. Yn Ioan ceir sawl enghraifft o Iddewon sy'n agored i'w dylanwadu gan Iesu (3: 1; 11: 37), ac sydd hyd yn oed yn barod i'w dderbyn (pen. 9), ond y mae hefyd grŵp o arweinwyr Iddewig, eithafol a digyfaddawd eu hagwedd, sydd ar eu heithaf yn herio'r mudiad newydd, peryglus a ddaeth i fod o ganlyniad i ddysgeidiaeth Iesu, ac sydd â'u bryd ar ddiogelu ffydd y tadau yn ei phurdeb.

Er bod modd olrhain elfennau gwrth-Iddewig yn Ioan, camgymeriad dybryd yw haeru bod y gwaith yn wrth-Semitaidd. Mudiad hiliol, rhagfarnus a dinistriol yn perthyn i'r cyfnod modern yw gwrth-Semitiaeth, ac ni fyddai Ioan yn gwybod dim am agwedd o'r fath. Nod yr efengylydd yw egluro sut y mae Iesu'r Meseia nid yn unig yn cyflawni disgwyliadau Iddewiaeth ar ei gorau, ond ei fod hefyd yn rhagori arnynt. Ef yw'r un sy'n troi dŵr di-liw yr hen grefydd yn win melys yr efengyl newydd sy'n cynnig i ddynion ddim llai na bywyd yn ei holl gyflawnder.

* * *

Y Saith Arwydd

1. Troi'r dŵr yn win yn y briodas yng Nghana (2: 1-11)
2. Iacháu mab y swyddog (4: 43-54)
3. Iacháu'r claf wrth y pwll (5: 1-18)
4. Porthi'r pum mil (6: 1-15)
5. Cerdded ar y dŵr (6: 16-21)
6. Iacháu'r dyn dall o'i enedigaeth (9: 1-12)
7. Cyfodi Lasarus (11: 1-44)

Y Dywediadau 'Myfi yw'

1. 'Myfi yw bara'r bywyd' (6: 35)
2. 'Myfi yw goleuni'r byd' (8: 12)
3. 'Myfi yw drws y defaid' (10: 7)
4. 'Myfi yw'r bugail da' (10: 11, 14)
5. 'Myfi yw'r atgyfodiad a'r bywyd' (11: 25)
6. 'Myfi yw'r ffordd a'r gwirionedd a'r bywyd' (14: 6)
7. 'Myfi yw'r wir winwydden' (15: 1)

EFENGYL IOAN

1: 1-18   Daeth y Gair yn Gnawd

Y mae pob un o'r efengylau'n dechrau â rhagarweiniad sy'n
olrhain tarddiad a chefndir Iesu Grist. Y mae Marc yn adrodd
hanes Ioan Fedyddiwr, a bedydd Iesu yn afon Iorddonen, tra bo
Mathew a Luc yn rhestru achau Iesu a'r hanesion am ei eni. Y
mae Ioan, yn y Prolog i'w efengyl (1: 1-18), yn mynd yn ôl
ymhellach o lawer, at greu'r byd, a hyd yn oed i'r amser cyn i'r
byd ddod i fod: *Yn y dechreuad yr oedd y Gair* (1: 1). Nid yng
Ngalilea yr egyr ei lyfr ond yn nhragwyddoldeb. Yr hyn yw'r
Prolog yw myfyrdod diwinyddol ar berson a gwaith Crist. Pwy
yw Iesu Grist, a pha swyddogaeth a gyflawna? Nid yw'r awdur
yn rhoi manylion am ei enedigaeth a'i dylwyth, ond yn hytrach
y mae'n canolbwyntio'n gyfan gwbl ar ei berthynas â Duw. Efe
yw'r Gair (Groeg: *logos*) tragwyddol a ddaeth yn gnawd. Y mae
logos yn derm sy'n gyforiog o ystyr:

1. Yn yr Hen Destament y mae 'gair' (Hebraeg: *dabar*) yn
rhywbeth mwy na sain sy'n cyfleu ystyr; y mae hefyd yn rym
gweithredol a nodweddir gan egni a gweithgarwch, e.e.: 'A
dywedodd Duw, 'Bydded goleuni...' (Gen. 1: 3); 'Trwy air yr
Arglwydd y gwnaed y nefoedd' (Salm 33: 6). Y Gair yw'r
cyfrwng a ddefnyddia Duw i greu'r bydysawd a phopeth byw
sydd ynddo. Ynghyd â hyn defnyddir y term am y neges
ddwyfol a ymddiriedir i'r proffwydi, ac y mae 'Fel hyn y dywed
yr Arglwydd' yn fformiwla sy'n digwydd yn rheolaidd yn eu
horaclau.

Daeth amser pan glywid yr Aramaeg ar wefus yr Iddew, a phan aethpwyd ati i drosi rhannau o'r Ysgrythurau o'r Hebraeg gysefin i'r iaith newydd, a'u galw yn Targwm. Yn y Targwm disgrifir y ffordd y defnyddia Duw y *memra* (=gair) i greu'r byd, i sefydlu cyfamod ag Abraham, ac i gyfathrebu â phobl Israel ar amrywiol achlysuron yn eu hanes. Nid cyfrwng llefaru yn unig mo'r *memra*; y mae hefyd yn fodd i weithredu a chyflawni. Y mae'n air creadigol sy'n dwyn i fod yr hyn nad oedd yn bodoli o'r blaen. Hefyd i'r Iddew y mae cysylltiad agos rhwng y Gair a Doethineb. Doethineb yw'r modd sydd gan Dduw i greu'r byd naturiol, a hefyd i'w ddatguddio'i hun i'w bobl, e.e.: 'Trwy ddoethineb y sylfaenodd yr Arglwydd y ddaear' (Diar. 3: 19). Yn y llyfr apocalyptaidd *Doethineb Solomon* dywedir i Dduw greu pob peth drwy ei Air a'i Ddoethineb. Unwaith eto pwysleisir y ffaith nad pethau statig, haniaethol mo Gair a Doethineb Duw, ond eu bod, yn hytrach, yn rymoedd gweithredol a chreadigol.

2. Yr oedd i'r term *logos* le allweddol mewn athroniaeth Roeg, ac fe'i defnyddiwyd gan Heraclitus (c. 560 CC) i ddynodi trefn a chysondeb y cread. Meddai: 'Y mae popeth yn digwydd yn ôl y Logos'. Er bod y byd yn newid yn gyson nid yw'n syrthio i dryblith ac anhrefn am y rheswm fod meddwl rhesymegol yn gyfrifol amdano, ac yn gorwedd y tu ôl iddo, a hwnnw yw meddwl Duw, sef y Logos. Dadleuodd Platon mai'r Logos hwn sy'n cadw'r planedau yn eu lle, tra roedd y Stoiciaid yn barnu mai'r un Logos sy'n trefnu'r tymhorau, sy'n peri i'r moroedd dreio a llenwi, ac sy'n penderfynu llwybrau'r sêr. Y Logos, felly (sy'n golygu 'rheswm' ynghyd â 'gair') yw'r egwyddor fawr, lywodraethol, sy'n gosod trefn ar y byd creëdig. Rhan fechan o'r *Logos* dwyfol hwn yw meddwl dyn.

3. Ceisiodd yr Iddew Philo o Alexandria, ddangos bod *dabar* yr Hen Destament, *memra* y rabïaid, a *logos* y Groegwr yn dermau cyfystyr â'i gilydd. Meddai Philo: 'Y Logos yw'r llyw a ddefnyddir gan beilot y bydysawd i lywio pob peth'. Bu bron

iddo fynd mor bell â diffinio'r Logos yn nhermau person, 'mab cyntafanedig Duw', trwy'r hwn y lluniodd Duw y cyfanfyd, ac er iddo ymatal rhag gwneud hynny y mae'n sicr yn disgrifio'r Logos yn nhermau pont rhwng Duw a dyn.

Defnyddiwyd y term *logos* yn gyffredin i gyfeirio at rywun a oedd yn gweithredu fel asiant ar ran Duw i lunio, cynnal a threfnu'r byd. Yr hyn a wna Ioan (a oedd yn amcanu at gyflwyno Cristionogaeth i'r byd Helenistaidd), yw cyhoeddi'r ffaith ryfeddol fod y *logos* dwyfol, tragwyddol hwn wedi dod yn ddyn, gan fyw ar ein daear ym mherson Iesu o Nasareth. Wrth alw Iesu yn *logos* y mae Ioan yn datgan mai'r Iesu hwn yw (i) grym creadigol Duw, a (ii) meddwl Duw wedi ymgnawdoli.

Yr hyn yw'r Prolog yw emyn o fawl i'r Logos. Dyma'r unig farddoniaeth a geir yn Efengyl Ioan, ac o ran arddull a ffurf y mae'n debyg iawn i gynnwys Llyfr y Salmau.

Gellir rhannu'r Prolog yn bedair rhan:

1. 1: 1-5: **Y Gair Dwyfol.** Y mae Ioan yn gwneud pedwar gosodiad am y Logos:

   (i)   Yr oedd yn bod *yn y dechreuad* (1), h.y. cyn y creu, a chyn bod amser. Mae'r ymadrodd hwn yn adleisio Gen. 1: 1, ac o bosibl yr agoriad i Efengyl Marc.

   (ii) Yr oedd y Gair *gyda Duw* (1). Yn fwy na hynny yr oedd y Gair ei hunan yn Dduw, ac y mae Ioan yn coroni ei ddisgrifiad o'r Logos â'r gosodiad syfrdanol mai *Duw oedd y Gair* (1). Ystyr yr ymadrodd hwn yw bod y Logos o'r un sylwedd â Duw, h.y. y mae'r Gair yn ddwyfol; y mae'n cyfranogi o natur Duw. Nid amcan Ioan yw datgan mai Iesu *yw* Duw yn ei gyfanrwydd.

  (iii) Trwy'r Gair y daeth *pob peth i fod* (3). Tra bo Iddew a Groegwr yn medru sôn am 'gyfryngwr y greadigaeth', â Ioan mor bell â dweud i'r 'cyfryngwr' hwn wisgo cnawd, ac ymddangos yn ddyn ymhlith dynion ar y ddaear.

(iv) Y mae'r Gair hwn yn ffynhonnell bywyd a goleuni (4, 5). Ef yw'r *bywyd* sy'n rhoi bywyd i bopeth byw, ac ef yw *goleuni dynion*. Y mae'r ddau ymadrodd yn gwbl nodweddiadol o Gristoleg Ioan, ac o'i efengyl ar ei hyd; yn nes ymlaen bydd Iesu'n honni mai ef yw'r 'bywyd' (11: 25), a hefyd mai ef yw 'goleuni'r byd' (8: 12; 9:5). Yn yr Hen Destament maent yn ddwy elfen hanfodol o'r broses greadigol, e.e.: '...oherwydd gyda thi y mae ffynnon bywyd, ac yn d'oleuni di y gwelwn oleuni' (Salm 36: 9). Yn ôl Ioan y mae'r goleuni hwn yn *llewyrchu yn y tywyllwch* (5), sef y tywyllwch moesol ac ysbrydol sy'n gwrthwynebu bwriadau Duw ac sy'n elyniaethus tuag ato, ond er gwaethaf pob bygythiad erys y goleuni yn anniffodd, ac nid oes dim a all ei *drechu* (5). Yr hyn a geir yn yr Efengyl, felly, yw disgrifiad o ddrama'r gwrthdaro rhwng goleuni Duw yng Nghrist a thywyllwch drygioni'r byd.

2. 1: 6-8: *Tystiolaeth Ioan Fedyddiwr i'r Goleuni.* Dywedir dau beth am Ioan:

(i) Fe'i comisiynwyd gan Dduw. Y mae *anfon* (6) yn arwyddo awdurdod swyddogol; yr oedd proffwydi'r Hen Destament wedi eu 'hanfon' (gw. Jer. 25: 4).

(ii) Ei waith oedd bod yn *dyst* (7) i'r goleuni. Yn wyneb poblogrwydd cynyddol sect Ioan Fedyddiwr, a honiad taer ei haelodau mai eu harwr hwythau yn hytrach na Iesu oedd y Meseia (gw. Act. 19: 1-7), pwysleisia'r awdur mai rôl israddol sydd i'r Bedyddiwr. Nid ef yw'r goleuni; ei waith ef, fel tyst, yw cyfeirio dynion at y gwir oleuni, sef Iesu (cymh. 1: 20; 3: 28).

3. 1: 9-13: *Swyddogaeth y Gair a ddaeth yn gnawd.* Gwneir tri gosodiad:

(i) *Y mae'r Gair yn goleuo pob dyn* (9) (idiom am bob dyn meidrol). A yw Ioan, felly, yn derbyn y syniad Stoicaidd fod pob dyn yn cael ei oleuo gan y Logos (Rheswm) dwyfol? Y mae'r cyfieithiad amgen o adn. 9 a gynhwysir ar odre'r tudalen yn y BCN, sef *Ef oedd y gwir oleuni, sy'n goleuo pob dyn sy'n dod i'r byd* fel pe bai'n awgrymu hyn, ond y mae adn. 10 yn gwadu'r posiblrwydd. Yr ystyr cywir yw bod y gwir oleuni yn barnu pob dyn. Y mae'r goleuni'n llewyrchu ar bawb – a ydynt yn cydnabod hynny ai peidio – ac y mae eu gweithredoedd yn cael eu barnu ganddo.

(ii) *Nid yw'r byd yn adnabod y gwir oleuni* (10, 11). Yn Efengyl Ioan gall *byd* (*cosmos*) olygu naill ai y byd da a greodd Duw, neu y byd pechadurus fel ag y mae yn y presennol, sef y byd sy'n gwrthryfela yn erbyn ewyllys Duw. Ceir y ddau ystyr yn adn. 10: (a) *daeth y byd i fod trwyddo*; (b) *nid adnabu'r byd mohono*. Y mae'r byd drwg yn gwrthod cydnabod mai Iesu yw'r goleuni a'r bywyd. Gwrthodwyd ef gan *ei bobl ei hun* (11) a all olygu: (a) y byd yn gyffredinol; (b) yr Iddewon; (c) pobl Palesteina a ddylai, o bawb, fod wedi ei dderbyn, gan iddo fod yn un o'u plith.

(iii) *Y mae'r goleuni'n cael ei dderbyn gan weddill ffyddlon* (12, 13). I'r lleiafrif pobl sy'n credu yn ei enw (12) (h.y. sydd â ffydd yng Nghrist) rhoddir iddynt yr *hawl* (= awdurdod) *i ddod yn blant Duw* (12). Ni ddeuir yn blentyn Duw trwy linach ddynol (*gwaed*), nac o ganlyniad i gyfathrach rywiol (*ewyllys cnawd*), na chwaith trwy dadolaeth naturiol (*ewyllys gŵr*), ond yn hytrach trwy enedigaeth *o Dduw* (13), sef genedigaeth *oddi uchod*, neu (fel y bydd Ioan yn pwysleisio yn nes ymlaen, e.e. yn yr ymgom rhwng Iesu a Nicodemus ym mhen. 3) *o'r Ysbryd*.

4. 1: 14-18: **Uchafbwynt y Prolog.** Y mae'r Gair a greodd y byd ac a lewyrchodd drwy'r cread, wedi dod i blith dynion ar ffurf dyn.

Yma, cyhoeddir y ffaith ryfeddol i'r Gair tragwyddol ddod yn gnawd yn Iesu Grist, gan ddatguddio Duw yn yr unig ffordd y mae'n bosibl i ddynion ei adnabod, sef yn null dyn. Hyd yma gallasai Philo yn hawdd fod wedi ysgrifennu pob gair o'r Prolog, ond yn adn. 14 deuir wyneb yn wyneb â ffaith newydd, syfrdanol na fuasai neb ond gŵr o Gristion wedi beiddio ei chyhoeddi. Bellach, nid egwyddor haniaethol mo'r Logos ond person o gig a gwaed.

Cyfeiria *cnawd* (14) nid yn unig at y corff dynol ond hefyd at natur dyn yn ei holl gymhlethdod a'i wendid. Y mae Ioan yn gwadu'r safbwynt Gnosticaidd bod y corff, o'i gyferbynnu â'r enaid, yn bechadurus. Ystyr llythrennol *preswylio* (14) yw 'tabernaclu', ac yn ddiau yr hyn sydd yn meddwl yr awdur yw'r tabernacl yn yr anialwch lle bu Duw yn trigo gyda'i bobl (Ex. 40). Nid ym 'mhabell y cyfarfod' y cyferfydd Duw a dyn yn awr, ond yn Iesu. *Gras* (14) yw cariad rhyfeddol Duw at ddyn, ffafr anhygoel Duw a estynnir i'r annheilyngaf. Y cariad syfrdanol hwn a barodd i Dduw ddanfon ei unig Fab i'r byd. Mae *gras* yn y fan hon yn cyfateb i *hesed* (trugaredd), un o allweddeiriau yr Hen Destament, ond yn ddiddorol ddigon, cyfyngir y defnydd ohono yn y Bedwaredd Efengyl i'r Prolog yn unig. Nid felly'r gair *gwirionedd* (14), sy'n digwydd droeon a thro yng nghorff yr efengyl. Ei ystyr yn yr Hebraeg yw 'ffyddlondeb'. Nid rhith yw'r Ymgnawdoliad; y mae Crist yn wir Dduw ac yn wir ddyn. Cyfeiria *gogoniant* (14, Groeg: *doxa*) at lewyrch y presenoldeb dwyfol, sy'n ein hatgoffa o'r disgrifiadau a geir yn y Pumllyfr o ddisgleirdeb presenoldeb Duw yn y tabernacl. Y mae gogoniant Crist yn tarddu yn Nuw ac yn deillio o Dduw. Pwy yn union a gafodd y fraint o weld y *gogoniant* hwn?, h.y. at bwy yn union y cyfeiria *gwelsom* yn adn. 14, ai (i) pob dyn; (ii) yr Iddewon; (iii) yr apostolion; neu (iv) dilynwyr Iesu yn ystod cyfnod ei weinidogaeth ar y ddaear? Yn fwy na thebyg cyfeiria at bawb a gredodd, ac sy'n credu, ynddo.

Tanlinella Ioan y ffaith fod Iesu'n unigryw. Tra bo

Cristionogion i'w hystyried yn 'blant Duw' (h.y. trwy fabwysiad yn ôl Paul yn Rhuf. 8: 15), y mae Iesu yn *unig Fab* (14), ymadrodd sy'n hynod debyg i'r cyfeiriadau a geir ato yn yr Efengylau Cyfolwg fel 'annwyl Fab' neu 'yr Anwylyd' (gw. Mth. 3: 17; Lc. 3: 22). Er pwysiced Ioan Fedyddiwr y mae Iesu'n ei *flaenori* (15), nid yn unig yn nhrefn amser (yn yr ystyr bod y Mab yn dragwyddol, ac yn cynfodoli o'r dechreuad), ond hefyd o ran statws a swyddogaeth. Trwy ymgnawdoliad y Logos derbyniwyd bendithion mawr a dirifedi, fel y pwysleisia'r geiriau *cyflawnder* a *gras* yn adn. 17. Yn wir derbyniwyd *gras ar ôl gras*, mewn llif diymatal. Nid unwaith yn unig y bydd y Cristion yn derbyn gras Duw, ond yn gyson ar hyd ei oes, ym mhob agwedd o'i brofiad, ac ar bob cam o'i bererindod.

Dysgai'r rabïaid mai'r Gyfraith (y Torah), oedd ffynhonnell goleuni, gwirionedd a bywyd, ond yn ôl Ioan yn Iesu y ceir eu hunig darddle. Ni all y *Gyfraith* (17) a roddwyd trwy Moses achub dyn; Crist yn unig a all wneud hynny. Ef, fel y pwysleisir yma, ac fel y dangosir yng ngweddill yr efengyl, yw'r gwir oleuni, y ffordd, y gwirionedd a'r bywyd, y dŵr bywiol, y bara sy'n disgyn o'r nef. Yn adn. 17 y digwydd enw personol Iesu am y tro cyntaf yn y Bedwaredd Efengyl.

Er bod yr Hen Destament yn sôn am rai dynion dethol yn cael y profiad arswydus o weld Duw (e.e. Jacob, Moses, Aaron, Nadab, Abihu a'r 70 o henuriaid – Ex. 24: 9), yr oedd yn gred sylfaenol gan yr Iddew fod Duw yn anweledig ac nad oedd yn bosibl i neb meidrol ei weld, a byw. Adlewyrchir yr argyhoeddiad hwn yn adn. 18, *Nid oes neb wedi gweld Duw erioed*, ond yn dilyn ceir y datganiad cwbl syfrdanol fod y Duw anweledig yn awr wedi dewis ei ddatguddio'i hunan yn Iesu, datganiad a gadarnheir ymhellach ym mhen. 14 gydag ateb Iesu i gwestiwn Philip ynglŷn â gweld y Tad: *Y mae'r sawl sydd wedi fy ngweld i wedi gweld y Tad* (9). Wrth gwrs, i Ioan, y mae gwahaniaeth sylfaenol rhwng 'gweld' â llygaid naturiol a 'gweld' â llygaid ffydd; iddo ef y mae 'gweld' a 'credu' yn gyfystyr. Term technegol yw *a'i gwnaeth yn hysbys* (18) am gyhoeddi dehongliadau rabbi o'r Gyfraith. Erys Duw yn anweledig, ond o ganlyniad i'r Ymgnawdoliad nid yw mwyach yn anhysbys; trwy ddod yn ddyn dangosodd y Logos inni yr hyn sydd yng nghalon a meddwl Duw. Y mae *mynwes y Tad* (18) yn drosiad trawiadol sy'n darlunio'r undod rhwng y Tad a'r Mab. Dyma'r modd y disgrifiwyd y lle o anrhydedd a roddwyd i'r prif westai mewn gwledd; câi eistedd yn y safle nesaf i ŵr y tŷ, a chan mai lledorwedd a wnâi pawb wrth y bwrdd, ef a fyddai'n pwyso ar fynwes y gwesteiwr. Dyma'r anrhydedd a roddwyd i'r Disgybl Annwyl yn y Swper Olaf (13: 23,25).

1: 19-28 Tystiolaeth Ioan Fedyddiwr (Y diwrnod cyntaf)

Yn y prolog cyfeiriwyd at dystiolaeth Ioan Fedyddiwr i'r Gair. Yn awr, fel yn yr Efengylau Cyfolwg, ceir adroddiad hanesyddol o'r dystiolaeth hon. Yng ngoleuni dylanwad sect Ioan Fedyddiwr a gyhoeddai mai Ioan oedd y Meseia (gweler Act. 19: 1-7), yr oedd yn hanfodol bwysig i'r awdur ddangos nad oedd y Bedyddiwr namyn rhagredegydd a thyst i Iesu. Am gyfnod bu Ioan yn pregethu ac yn bedyddio i'r dwyrain o'r Iorddonen (28), ac wedi derbyn adroddiad am ei weinidogaeth rymus y mae'r *Iddewon o Jerwsalem* (19), sef aelodau'r Sanhedrin, yn danfon rhai *offeiriaid* a *Lefiaid* (a wasanaethai yn y deml fel is-offeiriaid), i'w holi am arwyddocâd meseianaidd ei berson, a hefyd am y bedydd a weinyddid ganddo. Y mae Ioan yn ymwrthod â thri theitl a roddir iddo (cymh. *Nid ef oedd y goleuni*, 1: 8), gan wadu mai ef yw: (1) *y Meseia* (gair Hebraeg yn golygu 'eneiniog' – Groeg: *christos* – sef teitl yr Iddew am y gwaredwr disgwyliedig a ddeuai, ryw ddydd, i ryddhau'r genedl, yn wleidyddol ac yn filwrol, rhag gorthrwm y gelyn); (2) *Elias*. (Gan nad oedd Elias wedi marw, ond yn hytrach iddo gael ei gipio i'r nef (2 Bren. 2: 11), credid yn gyffredin y byddai'n dychwelyd i'r ddaear fel herald i'r Meseia (gw. Mal. 4: 5). Yn ôl yr Efengylau Cyfolwg

(Mth. 17: 9-13; Mc. 9: 9-13) mae'n amlwg bod llawer yn tybio mai dyna pwy oedd Ioan Fedyddiwr, Elias wedi dod yn ôl. Gwedir hynny yma; (3) Y *Proffwyd*, h.y. y proffwyd disgwyliedig, ail-Foses, yr oedd Duw wedi ei addo i arwain Israel. Yn Deut. 18: 15, 18, y mae Moses ei hun yn cyfeirio at ei ddyfodiad. Yn y Testament Newydd Iesu, ac nid Ioan, yw'r *proffwyd* yn yr ystyr hwn (gw. Act. 3: 22).

Nid yw Ioan namyn *llais* (23). Mae'r awdur yn dyfynnu Es. 40: 3, geiriau a gyfeiriai'n wreiddiol at negesydd Duw yn galw am baratoi ffordd drwy'r anialwch er mwyn i'r alltudion ddychwelyd adref o'r gaethglud ym Mabilon, ond a ddyfynnir yn y fan hon er mwyn egluro mai gorchwyl Ioan yw paratoi ffordd i Iesu gerdded ar hyd-ddi – ffaith a bwysleisir yn y pedair efengyl fel ei gilydd. Y mae'r negeswyr o Jerwsalem yn dadlau ei fod yn fwy na *llais*; onid yw'n *bedyddio* (25)? Yr oedd mwy nag un math o hunan-fedydd gan yr Iddewon, ond yr oedd Ioan yn bedyddio eraill, a'i fedydd yn ymgais i baratoi Israel ar gyfer adenedigaeth ysbrydol. Unwaith eto y mae Ioan yn pwysleisio fod ei waith yn eilradd a dros dro; paratoad yw ei fedydd yntau (â, neu *mewn* dŵr) ar gyfer y bedydd hwnnw na all ef ei hunan ei weinyddu, sef bedydd yr Ysbryd Glân yn oes y Meseia. Y mae'r hwn a all gynnig y bedydd hwnnw eisoes yn bresennol, ond nid yw'r bobl yn ei adnabod.

Mae'n arwyddocaol na cheir yr awgrym lleiaf yn y Bedwaredd Efengyl fod Ioan wedi bedyddio Iesu. Y rheswm am hyn, yn ddiau, yw er mwyn osgoi rhoi'r argraff fod Ioan yn uwch na Iesu, neu hyd yn oed yn gyfwerth ag ef, mewn unrhyw ffordd. Gwaith a gyflawnid gan gaethwas oedd *datod carrai* esgid (27), hynny er mwyn ei thynnu oddi ar y droed. Dyma'r dasg isaf a mwyaf diraddiol y gallai neb ei chyflawni. Ni wyddys union leoliad *Bethania* (28), ac efallai mai dyma'r rheswm pam y newidiwyd ef i *Bethabara* mewn rhai llawysgrifau. Yn sicr nid dyma'r Bethania a leolid tua dwy filltir i'r dwyrain o Jerwsalem, ac a enwir yn 11: 1, 18 a 12: 1. Fe all *tu hwnt i'r Iorddonen* (28) fod yn ymgais ar ran yr awdur i brofi fod yr Iddewon wedi fforffedu eu hawl i fod yn blant Abraham. Nid yn nhiriogaeth Israel y bedyddiai Ioan, ond ar ochr ddwyreiniol yr Iorddonen, sef mewn gwlad genhedlig.

1: 29-34   Tystiolaeth Ioan (Yr ail ddiwrnod)

Drannoeth y mae Ioan yn disgrifio Iesu fel *Oen Duw sy'n cymryd ymaith bechod y byd* (29), symbol sy'n cyfuno sawl darlun o'r Hen Destament. Ond at ba 'oen' y cyfeirir yn union? (a) Lleddid oen yn ystod Gŵyl y Pasg, ond fe'i haberthid nid er mwyn dileu pechodau ond er mwyn dathlu'r waredigaeth o'r Aifft (gw. 1 Cor. 5: 7); (b) Aberthid oen yn feunyddiol yn y deml, fel llosg offrwm i Dduw, ond unwaith eto nid ei ddiben oedd diddymu pechod; (c) Gan mai at 'oen' y cyfeirir yn benodol yma, prin y gellir derbyn y ddamcaniaeth mai'r afr a ddefnyddid ar ddydd y Cymod i gludo ymaith bechodau'r bobl i'r anialwch a ddisgrifir; (ch) Ai'r oen yng Nghân y Gwas yn Es. 53: 7, lle disgrifir y Gwas Dioddefus fel oen a arweinir i'r lladd-dy, sydd mewn golwg? Go brin fod hyn ychwaith yn argyhoeddi oherwydd yn y gân y gwas ei hunan, ac nid unrhyw oen dirprwyol, sy'n aberth dros bechod : 'a thrwy ei gleisiau **ef** y cawsom ni iachâd' (Es. 53: 5). Ym marn Alan Richardson y mae'r symboliaeth yn Efengyl Ioan yn cyfuno pob un o'r delweddau uchod, ond mai'r un ganolog yw honno o Oen y Pasg, er gwaethaf y ffaith nad offrymid hwnnw, yn dechnegol, yn iawn dros bechod. Defnyddiwyd Oen y Pasg fel symbol i egluro marwolaeth Iesu o'r cyfnod cynharaf yn hanes Cristionogaeth, e.e. Dat. 5: 9, 12. Wrth gwrs, y mae Iesu'r 'Oen' yn sicrhau yr hyn na fedrai oen y Pasg Iddewig fyth mo'i gyflawni: y mae'n cymryd ymaith bechod *y byd* (29). I Ioan, y mae'r iachaw-dwriaeth yng Nghrist yn un gosmig, ac yn cwmpasu'r byd yn gyfan.

Derbynnir yn weddol gyffredinol fod y paragraff hwn yn

cyfateb i'r adroddiad am fedydd Iesu yn yr Efengylau Cyfolwg. Er nad yw'r Bedwaredd Efengyl yn datgan yn ddiamwys i Iesu gael ei fedyddio gan Ioan, eto'i gyd ceir awgrym o'r bedydd yn adn. 32 a 33. Yn fersiwn Mathew a Marc Iesu'n unig sy'n cael y weledigaeth o'r Ysbryd yn disgyn arno megis colomen (yn Luc mae'r golomen yn disgyn 'mewn ffurf gorfforol', gw. Lc. 3: 22), ond yn y Bedwaredd Efengyl y mae Ioan Fedyddiwr hefyd yn ei gweld. Pwysleisia Ioan mai bedydd yr Ysbryd yw'r gwir fedydd Cristionogol; paratoad yn unig yw'r bedydd dŵr.

Yn Efengyl Marc (1: 11) y llais o'r nef sy'n cyhoeddi mai Iesu yw *Mab Duw* (34), ond yma Ioan sy'n gwneud. Mewn Groeg gall yr ymadrodd 'mab Duw' olygu, yn syml, dyn cyfiawn, rhinweddol; gelwid yr ymerawdwr Rhufeinig wrth y teitl *divi filius*; yn yr Hen Destament y mae 'Mab Duw' yn deitl ar y brenin meseianaidd; ond yn y grefydd Gristionogol y mae'r term ag arwyddocâd arbennig yn perthyn iddo gan ei fod yn golygu bod Iesu o'r un hanfod â Duw, ac felly'n ddwyfol. Yn yr Hen Destament gelwir Israel yn 'Fab' Duw, ond amod bod yn 'fab' yw ufudd-dod i ewyllys Duw, a chan i Israel, laweroedd o weithiau yn ei hanes, fod yn anffyddlon i fwriadau yr Hwn a'i galwodd, ni all ei hystyried ei hunan mwyach yn 'fab'. Y mae ufudd-dod Iesu i ewyllys Duw yn berffaith a diwyro, ac ef, felly, ac ef yn unig, yn ôl Ioan, yw gwir Fab Duw.

1: 35-42   Y Disgyblion Cyntaf

Mae'n anodd iawn cysoni'r adroddiad a geir yn yr Efengylau Cyfolwg â'r hyn a groniclir yma. Yn Efengyl Marc ceir yr argraff nad ar amrantiad, ond dros gyfnod o amser, ac o ganlyniad i broses hir, y daeth y disgyblion i adnabod Iesu fel y Crist, ond yn Ioan y mae hyn yn digwydd bron ar unwaith, ac y mae'r prif deitlau ar Iesu – *Mab Duw, Oen Duw, Meseia, Brenin Israel, Mab y dyn* – i gyd yn digwydd yn y bennod gyntaf. Yn yr Efengylau Cyfolwg y mae Ioan Fedyddiwr yn danfon negeswyr o'r carchar i holi Iesu ai ef oedd yr un oedd i ddod (h.y. y Meseia), ond yma caiff Ioan weledigaeth ddwyfol, uniongyrchol, am berson Crist (*Dyma Oen Duw* – adn. 36). Cyflwynir hanes galw'r disgyblion cyntaf y tu mewn i fframwaith pedair golyga fer:

(i) *Y mae dau o ddisgyblion Ioan yn dilyn Iesu.* Efengyl Ioan sy'n dweud wrthym mai o blith cylch dilynwyr Ioan Fedyddiwr y daw'r cyntaf o ddisgyblion Iesu; maent yn trosglwyddo eu teyrngarwch iddo o ganlyniad i dystiolaeth Ioan mai'r Iesu hwn yw'r Meseia. Yn yr efengylau eraill geilw Iesu ar ddau bâr o frodyr o'u cychod pysgota ar fôr Galilea, a hwythau (Simon, Andreas, Iago ac Ioan) yw pedwar disgybl cyntaf Iesu. Yn Efengyl Ioan enwir Andreas (brawd Simon Pedr) fel un o'r ddau ddisgybl cyntaf, ond ni chawn wybod enw'r llall; yn ôl traddodiad yr ail oedd Ioan, fab Sebedeus, ond ni ellir profi hyn. Mae'n ddiddorol sylwi i hyn oll ddigwydd, nid yng ngogledd y wlad (fel yn y traddodiad Synoptaidd) ond yn Jwdea yn y de.

Datblygodd *canlyn Iesu* (37) i fod yn derm technegol am y disgybl o Gristion (cymh. 'Canlyn fi', sef gwahoddiad Iesu i Lefi yn Mc. 2: 14). Mae'r cwestiwn *Beth yr ydych yn ei geisio?* (38) yn fwriadol amwys; gall olygu (i) Beth yr ydych yn chwilio amdano wrth ddod ar fy ôl i?, neu (ii) Beth yr ydych yn ei geisio yn eich bywyd o ddydd i ddydd? Y gair Hebraeg am Athro, a'r teitl cyffredin am athrawon y Gyfraith, yw *Rabbi* (38). Er na dderbyniodd Iesu hyfforddiant swyddogol i fod yn athro proffesiynol, fe roddir y teitl iddo. Nid yn arwynebol y mae deall arwyddocâd y cwestiwn *ble'r wyt ti'n aros?* (38), gan fod ystyr dwfn i'r gair 'aros' yn Efengyl Ioan. Y mae 'aros' yng Nghrist yn golygu nid yn unig rhannu ei gwmni a gwrando ar ei ddysgeidiaeth, ond bod yn un ag ef mewn ysbryd a chymdeithas. Mae Iesu'n 'aros' yn y Tad, ac y mae'r disgybl yn 'aros' yng Nghrist.

(ii) *Daw Andreas â'i frawd Simon at Iesu.* Mae'n bosibl nad oedd galwad Pedr ac Andreas mor sydyn ag y mae'n ymddangos yn Mc. 1: 16-18 lle nad oes unrhyw esboniad ar y modd y galwyd y disgyblion cyntaf na sut y bu iddynt adael eu rhwydau mor ddisymwth. Crynodeb sydd yn Marc ac y mae'n eithaf posibl bod Ioan yn diogelu traddodiad dilys mai Andreas a gyflwynodd ei frawd i Iesu. Yr hyn y mae Ioan yn awyddus i'w ddangos yw bod galwad i fywyd o ddisgybledd o reidrwydd yn arwain at awydd ac ymroddiad i rannu'r newyddion da. Fe â Andreas yn ddiymdroi (sylwer ar bwyslais yr awdur, *Y peth cyntaf a wnaeth hwn...*, adn. 41) i hysbysu Simon Pedr iddynt ddarganfod y Meseia hir-ddisgwyliedig (41), ac yna fe gyflwyna ei frawd i Iesu. Nid yw'n syndod i Andreas gael ei ddyrchafu, o'r cyfnod cynharaf yn nhraddodiad yr eglwys, yn nawdd sant cenhadon Crist. Gair Aramaeg am garreg neu graig (yn cyfateb i'r Groeg *petra*) yw *Ceffas* (42), sef yr enw newydd a roddir i Simon gan Iesu. Hwyrach y golygai (i) y byddai Simon o hyn ymlaen yn gymeriad cadarn, diwyro, neu (ii) y buasai, maes o law, yn sylfaen i'r eglwys (cymh. Mth. 16: 13-20), ond ni roddir unrhyw eglurhad ar yr enw gan Ioan. Gellir darllen 'Joanes' neu 'Jonas' am 'Ioan' yn yr ymadrodd *fab Ioan* (42) – gw. Mth. 16: 17.

1: 43-51   Galw Philip a Nathanael (Y pedwerydd diwrnod)

(iii) Wedi dychwelyd i Galilea y mae *Iesu'n galw Philip i fod yn ddisgybl*. Y mae *Canlyn fi* (43) yn ein hatgoffa o alwad Lefi yn Mc. 2:14. Enw Groeg yw 'Philip'. Mae'n ymddangos yn rhestr Marc o'r Deuddeg (3: 18), ond nid yw'r Efengylau Cyfolwg yn sôn mwy amdano. Fe'i henwir eto yn In. 6: 5; 12: 21; 14: 8. Dylid cofio nad yr un dyn ydyw â Philip yr Efengylydd (Act. 6: 5). Wedi i Iesu ei alw, ei ymateb cyntaf, fel Andreas, yw rhannu'r profiad ag arall. Pentref pysgota i'r dwyrain o'r Iorddonen oedd *Bethsaida* (= lle pysgota).

(iv) *Philip yn cael hyd i Nathanael*. Cyfeirir ymhellach at

Nathanael (Hebraeg: 'rhoddodd Duw') yn 21: 2, lle nodir ei fod yn dod yn wreiddiol o Gana, Galilea. Nid yw ei enw'n ymddangos yn rhestri'r Deuddeg yn yr Efengylau Cyfolwg. Awgrymwyd mai ef yw Bartholomeus y traddodiad Synoptaidd, ond nid oes sail i hyn.

I Philip y mae darganfod mai Iesu yw'r Meseia yn golygu bod proffwydoliaeth y gorffennol yn awr wedi ei gwireddu. Credai'r eglwys gynnar bod y *proffwydi* (45) i gyd wedi rhagfynegi dyfodiad Crist. Cyfeiria *y Gyfraith* (45) at y Pumllyfr, a chymerir yn ganiataol mai Moses yw eu hawdur. Y mae hefyd yn arwyddocaol fod Philip yn cyfeirio at Iesu fel *mab Joseff* (45). Ni cheir unrhyw gyfeiriad yn Efengyl Ioan at y Geni Gwyrthiol; yn 6: 42 y mae'r Iddewon yn dadlau nad oedd yn bosibl i Iesu fod yn ddwyfol gan mai Joseff oedd ei dad. Y mae ymateb Nathanael, *A all dim da ddod o Nasareth?* (46) yn adleisio'r rhagfarn a goleddid gan athrawon Jerwsalem yn erbyn y gogledd yn gyffredinol, ac yn benodol yn erbyn lle mor ddinod â Nasareth. Yn ôl traddodiad yr oedd y Meseia i hanu o Fethlehem (gw. Mic. 5: 2), ac yn naturiol, felly, y mae Nathanael mewn dryswch.

Atebir ei amheuon gan wybodaeth oruwchnaturiol Iesu amdano, ac mae'r ffaith fod Iesu'n ei adnabod cyn i'r ddau gyfarfod â'i gilydd yn gadael argraff fawr ar ei feddwl. Cwbl nodweddiadol o Efengyl Ioan yw'r pwyslais fod Iesu'n *adnabod* (48) Nathanael cyn i Philip ei alw. Y mae Iesu'n meddu ar allu anghyffredin i dreiddio i ddyfnderoedd y bersonoliaeth ddynol ac i *wybod beth oedd mewn dyn* (gw. 2: 25). Yma'n unig y defnyddir y gair *Israeliad* (47) yn Efengyl Ioan, ac fe ddigwydd mewn cyferbyniad llwyr â'r llu o gyfeiriadau sarhaus at yr 'Iddewon'. Darlunnir Nathanael fel un o gynrychiolwyr yr Israel newydd y daeth Iesu i'w sefydlu. Yr oedd Jacob, cynrychiolydd yr hen Israel, yn llawn dichell ac ystryw (cofier iddo ddwyn yr enedigaeth fraint oddi ar ei frawd Esau), ond y mae Nathanael *heb ddim twyll* (47) ynddo.

Y mae'n un o'r ffyddloniaid didwyll hynny yn Israel sy'n disgwyl yn eiddgar ac yn weddïgar am ddyfodiad y Meseia, ac sy'n ddyfal astudio'r Ysgrythurau. Y mae cyffes Nathanael (49) yn cynnwys dau deitl poblogaidd am y Meseia: cyfeiriwyd yn aml at y Meseia fel *Mab Duw*, ac yr oedd *Brenin Israel* yn arwyddo'r dyhead poblogaidd am ymddangosiad gwaredwr cenedlaethol.

Nid yw ystyr *pan oeddit dan y ffigysbren* (48) yn eglur. Fe all gyfeirio (i) at arfer y rabïaid o astudio a thrafod o dan gysgod coeden; neu (ii) gan fod 'ffigysbren' yn yr Hen Destament yn symbol o Israel, fe all olygu bod Iesu wedi adnabod Nathanael am gyfnod tra roedd yn dal yn Iddew, cyn iddo goleddu'r ffydd newydd; (iii) yn ôl C.F.D. Moule gall yr ymadrodd fod yn ddyfyniad o ddihareb boblogaidd, 'O dan ba goeden?' a olygai, 'A fedri di ddweud y cyfan wrthyf amdano?' Os hyn yw'r ystyr, dyma bwysleisio unwaith eto ragwybodaeth Iesu am Nathanael cyn i Philip gysylltu ag ef.

Dywediad arall sy'n peri anhawster yw cynnwys adn. 51. Yr ystyr mwyaf tebygol yw y bydd ffydd Nathanael, yr Israeliad gwir sydd yn awr yn perthyn i'r oruchwyliaeth newydd, yn cael ei chadarnhau wrth iddo gael gweledigaeth debyg i'r hyn a gafodd yr Israeliad cyntaf, sef Jacob, a welodd angylion Duw yn esgyn ac yn disgyn ar ysgol a estynnai o'r ddaear i'r nefoedd (Gen. 28: 12). Yma, Iesu ei hunan, sef *Mab y Dyn* (hoff deitl Iesu amdano'i hunan) yw'r ysgol. Beth, felly, yw'r ystyr? (i) Iesu, Mab y Dyn, yw'r cyfryngwr unigryw rhwng nefoedd a daear; ef ei hunan yw'r ysgol rhwng dyn a Duw; (ii) ym Methel gwelodd Jacob ogoniant Duw. Y mae'r gogoniant hwnnw i'w weld yn ei ysblander yn awr yn Iesu; (iii) Y mae *gweld y nef wedi agor* yn cyfeirio, yn fwy na thebyg, at y *parowsia*, at y gobaith y byddai Mab y Dyn yn ymddangos mewn gogoniant gyda'r angylion (gw. Mc. 13: 26; Dan. 7: 13). O dderbyn hyn y mae'r ymadrodd yn cyfeirio, felly, at ailddyfodiad Iesu yn niwedd yr amserau.

2: 1-11 Y Briodas yng Nghana

Y mae pen. 2 yn uned lle mae'r awdur yn ymdrin ag un o'i brif themâu, sef rhagoriaeth Efengyl Crist ar yr hen grefydd sefydledig sydd erbyn hyn wedi colli ei rhin a'i heffaith. Ceir dwy stori yn y bennod, yr ail ohonynt, yn ddiau, yn seiliedig ar ddigwyddiad hanesyddol, a'r gyntaf, o bosibl, yn ffrwyth dychymyg yr awdur. Ni cheir unrhyw gyfeiriad yn yr Efengylau Cyfolwg at y briodas yng Nghana; efallai bod Ioan wedi troi un o ddamhegion Iesu yn stori wyrth.

Cytuna'r pedair efengyl mai yng Ngalilea y dechreuodd Iesu ar ei weinidogaeth gyhoeddus, ond yn ôl Ioan nid yn Nasareth ond yng Nghana y digwydd hynny. Yno y cyflawnir y cyntaf o'r *arwyddion* (Groeg *semeion*, term sy'n digwydd 17 o weithiau yng nghorff yr efengyl), sef gair Ioan am y gwyrthiau. Y mae i arwydd bwrpas deublyg, sef ar un llaw amlygu gogoniant Crist, ac ar y llaw arall ennyn ffydd yng nghalon y sawl sy'n dystion i'w weithredoedd grymus. Nid y gwyrthiau eu hunain, fel y cyfryw, sy'n bwysig; arwyddion ydynt i helpu dynion i weld arwyddocâd cenhadaeth Iesu, ac i gadarnhau eu ffydd ynddo fel Mab Duw.

Cyrhaeddir Cana ar *y trydydd dydd* (1) ar ôl galwad Philip a Nathanael. Efallai bod yr adran 1: 19 - 2: 11 yn grynodeb o ddigwyddiadau un wythnos gron; yn bwysicach na hynny fe all *y trydydd dydd* fod yn gyfeiriad cynnil at atgyfodiad Iesu pan fydd holl rym y bywyd newydd yn cael ei amlygu yn ei gyflawnder. Gwahoddwyd Iesu a'i ddisgyblion (sef y chwech yr adroddir am eu galwad ym mhen. 1) i wledd briodas, achlysur a fyddai'n parhau, fel arfer, am saith diwrnod, a gwahoddedigion newydd yn cyrraedd yn ddyddiol. Gan mai pedair milltir o ffordd oedd rhwng Cana a Nasareth nid yw'n annhebygol bod Iesu'n adnabod y priodfab a'r briodferch yn bersonol.

Fel arfer yr oedd gwin yn llifo'n rhydd mewn neithior Iddewig, ond y tro hwn daeth y cyflenwad i ben yn annisgwyl.

Daw mam Iesu (nad yw'n cael ei galw wrth ei henw gymaint ag unwaith yn yr efengyl hon) i'r adwy, a'i geiriau *Nid oes ganddynt win* (3) yn awgrymu cais. Er nad yw cyfarchiad Iesu, *Wraig* (4) o angenrheidrwydd yn amharchus, y mae ei gwestiwn *Pam yr wyt ti yn ymyrryd â mi?* (4) (priod-ddull Hebreig, a chwestiwn a geir yn aml ar wefusau'r sawl a feddiannwyd gan ysbryd(ion) drwg wrth iddynt gyfarch Iesu, e.e. Mc. 1: 24) yn chwyrn. Ni ddaeth *awr* (4) Iesu eto, sef yr amser a drefnwyd iddo ddioddef ac atgyfodi – a thrwy hynny amlygu ei ogoniant – ac yn y cyfamser ni all na theulu na ffrindiau nac amgylchiadau ei orfodi i weithredu'n groes i ewyllys Duw a'r drefn ragosodedig.

Ac eto fe â Iesu'n ei flaen i achub y sefyllfa, gan roi cyfarwyddyd i'r gwasanaethyddion i lenwi'r *chwech o lestri carreg* (6) â dŵr. Awgrymwyd bod *ar gyfer defod glanhad yr Iddewon* (6) yn anacronistig yn y fan hon gan na ddaeth y rheidrwydd i ymolchi, cyn ac ar ôl bwyta, fel rhan o ddefod buredigaeth, yn ddyletswydd ar yr Iddew tan yr ail ganrif OC, hynny oherwydd pwysau o du'r Phariseaid (gw. Mc. 7: 3). Fel arfer gwnaed y llestri o bridd; yr oedd rhai carreg yn gymharol brin a gwerthfawr. Er eu bod yn dal mesur helaeth o ddŵr (20 neu 30 galwyn yr un), mae'n arwyddocaol iawn yma eu bod yn wag (cyfeiriad, mae'n siwr, at wacter disylwedd y grefydd draddodiadol), a'u bod yn cael eu llenwi ar orchymyn Iesu (yr unig un sydd â'r gallu ganddo i gyfrannu bywyd cyflawn, ystyrlon i ddynion). Y mae eu nifer hefyd yn awgrymog. Fe gofir mai saith oedd y rhif perffaith i'r Iddew; felly y mae *chwech* yn awgrymu rhywbeth llai na pherffaith, rhywbeth isradd ac anghyflawn.

Ffaith arall sy'n llawn arwyddocâd yw bod yr arwydd cyntaf yn digwydd yng nghyd-destun gwledd briodas. Ceir mwy nag un cyfeiriad yng ngweithiau'r proffwydi at y berthynas rhwng Duw ac Israel yn nhermau priodas (e.e. Hos. 3: 1); o'i drugaredd cymerodd Duw bobl Israel (oriog ac anffyddlon fel ag yr oeddent) i fod yn briod iddo, ond torrwyd amodau'r llw a wnaed rhyngddynt wrth i'r genedl odinebu trwy ei hymwneud â duwiau a llywodraethau estron. Ysgarwyd rhyngddi a'i phriod. Yn awr, yn Iesu, sefydlir cyfamod newydd rhwng Duw a dynion. Hanfod priodas yw perthynas, a dyma union natur y bywyd tragwyddol y daw Iesu i'w gynnig yn rhodd i bwy bynnag a gred ynddo (gw. 17: 3).

Ceir yr argraff bod y cyfan o'r dŵr yn y llestri wedi ei droi'n win. Ar y llaw arall mae'n bosibl mai'r hyn a dynnwyd allan yn unig a newidiwyd. Sut bynnag, nid oedd pall ar y cyflenwad, awgrym sicr o helaethrwydd y bywyd newydd yng Nghrist. Amcan Ioan yw dangos bod dŵr di-flas, di-liw yr hen drefn wedi ei droi yn awr yn win cyfoethog Cristionogaeth, sy'n well, yn wir, na dim a gafwyd o'r blaen. O dderbyn bod datguddiad Duw ohono'i hun yn broses raddol a chynyddol, y mae *ond yr wyt ti wedi cadw'r gwin da hyd yn awr* (10) yn tanlinellu'r ffaith fod y datguddiad yng Nghrist yn fwy llachar na dim a'i rhagflaenodd. Yn nhraddodiad y rabïaid defnyddid 'gwin' yn fynych fel symbol o'r Torah. Bellach, nid y Gyfraith yw'r gwin melys, ond yn hytrach y bywyd newydd a gynigir i ddynion yn a thrwy Iesu.

2: 13-25 Glanhau'r Deml

Yn ôl Ioan dyma weithred gyhoeddus gyntaf gweinidogaeth Iesu, ac y mae o'r pwys mwyaf ei bod yn digwydd oddi mewn i gynteddau'r deml yn Jerwsalem. Dyma hefyd yr enghraifft gyntaf o'r gwrthdaro tanbaid rhwng Iesu a'r awdurdodau Iddewig, gwrthdaro a fydd yn cyrraedd ei uchafbwynt yn y penodau dilynol. Yn wahanol i'r awduron synoptaidd y mae Ioan yn amseru'r digwyddiad ar ddechrau ac nid ar ddiwedd cenhadaeth Iesu. Pam hynny? (i) Awgrymir gan rai esbonwyr i Iesu lanhau'r deml ar ddau achlysur gwahanol, ond nid yw hynny'n debygol. (ii) I eraill, ceir yma enghraifft o gywirdeb Ioan o ran manylion hanesyddol. Gan nad yw Marc yn sôn ond am un ymweliad o eiddo Iesu â Jerwsalem nid oedd ganddo ddewis ond i leoli'r brotest yn y deml yn rhaglen yr Wythnos Olaf. Ioan, felly, sy'n gywir. (iii) Ceir damcaniaeth arall sy'n haeru mai'r traddodiad synoptig sy'n gywir, a bod Ioan yn gosod Glanhau'r Deml yn mhen. 2 (yn groes i'r dystiolaeth hanesyddol) er mwyn tanlinellu'r ffaith bod Iesu'n herio'r gyfundrefn Iddewig (oedd â'r deml yn ganolfan iddi o safbwynt addoliad a chyfraith) o'r dechrau'n deg, ac ar y cyfle cyntaf posibl. Y mae amseriad y digwyddiad yn dwysáu ei arwyddocâd ysbrydol. (iv) Awgrymir gan rai ysgolheigion i'r adran hon gael ei dadleoli, a'i bod, yn wreiddiol, yn dilyn 12: 12-19.

Un ffaith ddiddorol am Efengyl Ioan yw iddi gael ei chynllunio yn ôl trefn y gwyliau Iddewig (Pasg, Pentecost, Pebyll). Mae Iesu'n ymweld â Jerwsalem ar dri Phasg gwahanol, a dyma'r cyntaf ohonynt. Yn y gwanwyn y cynhelid y Pasg, a'i ddiben oedd dathlu'r Ecsodus o'r Aifft. Mae'n dra thebyg bod Ioan yn cyferbynnu rhwng *Pasg yr Iddewon* (13) (pryd y lleddid oen i gofio am yr oen a laddwyd yn yr Aifft ac y taenwyd ei waed ar ddau bost a chapan y drws er mwyn i angel marwolaeth fynd heibio i dai'r Hebrëwyr – *pass-over* yn Saesneg) a'r Pasg Cristionogol a sefydlir gan Iesu. Datganwyd eisoes mai ef yw *Oen Duw sydd yn tynnu ymaith bechod y byd* (1: 29).

Bu tair teml yn hanes yr Iddewon: teml Solomon, teml Sorobabel (a adeiladwyd yn dilyn y dychweliad o gaethglud Babilon yn 538 CC), a theml Herod Fawr y dechreuwyd ei hadeiladu yn 20 CC ac a gwblhawyd gan Herod Agripa yn 63-64 OC, sef cyfnod o bedwar ugain a phump o flynyddoedd. Felly mae *chwe blynedd a deugain* (20) yn rhoi dyddiad o gwmpas 26 OC, a fyddai'n cydfynd â'r dyddiad y cytunir arno'n gyffredinol am gyfnod gweinidogaeth Iesu. Os ganwyd Iesu tua 4 CC, erbyn 26 OC buasai'n 30 mlwydd oed.

Cyfeiria *y deml* (14) at y cyntedd allanol, sef Cyntedd y Cenhedloedd. Cynhelid marchnad yma lle ÿ gwerthid ŵyn ac ychain a cholomenod i'w haberthu. Nid oedd arian Rhufeinig yn dderbyniol y tu mewn i derfynau'r cysegr Iddewig, ond fe allai'r *cyfnewidwyr arian* (15) ei newid am arian bath y deml – trefniant hwylus, i bob golwg, yn arbennig i gyfarfod â gofynion y rhai a ddeuai i'r ŵyl o wledydd tramor (Iddewon y Diaspora), ond system a oedd hefyd yn agored i dwyll o bob math. Yr hyn a geir gan Marc am *tŷ masnach* (16) yw *ogof lladron* (Mc. 11: 17).

Nid yw'r Efengylau Cyfolwg yn cyfeirio at y *chwip o gordenni* (15). Gallasai Iesu fod wedi ei gosod at ei gilydd o'r brwyn a daenwyd ar lawr i'r gwartheg gael gorffwys arnynt. Defnyddia Iesu hi yn unig fel arwydd o'i awdurdod; ni ddywedir iddo daro neb. Gwaharddwyd mynd ag arfau i'r deml, a phe bai Iesu wedi defnyddio grym buasai'r gwarchodlu Rhufeinig yn nhŵr Antonius gerllaw wedi ymyrryd yn ddiymdroi. I Ioan mae'n weithred symbolaidd am farn Duw'n disgyn ar ganolfan gyltig crefydd lygredig. Rhoddir esboniad ar y weithred trwy'r geiriau a gofir gan y disgyblion, *Y mae sêl dros dy dŷ di yn fy ysu* (17) (o Salm 69: 9, un o'r Salmau Meseianaidd). Yr awgrym yw y bydd gwaith Iesu'n puro'r deml yn arwain maes o law at ei groeshoeliad, ac felly'n costio'n ddrud iddo. Yn dilyn mae'r Iddewon yn gofyn am arwydd *yn awdurdod dros wneud y pethau hyn* (18), ac y mae ateb Iesu i'w gael yn adn. 19-22. Adeg ei brawf cyhuddwyd Iesu o honni y buasai'n dinistrio'r deml ac yn adeiladu un arall yn ei lle mewn tridiau, teml *heb fod o waith llaw* (Mc. 14: 58). Efallai bod Ioan yn cynnwys y cyhuddiad yn y fan hon, gan roi ei fersiwn yntau o'r hyn a roes Iesu'n ateb, maes o law, gerbron y Sanhedrin. Y mae union ystyr geiriau Iesu'n ansicr. Fe allant olygu: (i) 'Byddwch chwi'n dinistrio'r deml hon', gyda Iesu'n rhoi'r cyfrifoldeb am ddinistr y deml ar ei gyhuddwyr, ac ar y genedl a gynrychiolir ganddynt. Rhoddwyd teml Jerwsalem ar dân gan y Rhufeiniaid yn 70 OC yn dilyn gwrthryfel yr Iddewon. Neu (ii) mae'n fwy tebygol eu bod yn cyfeirio at groeshoeliad ac atgyfodiad Iesu – *ond sôn yr oedd am deml ei gorff* (21). Bu cryn ddyfalu ynghylch ystyr yr ymadrodd

40

teml ei gorff: (a) Gall gyfeirio at atgyfodiad Iesu. Pan lefarwyd y geiriau hyn yn wreiddiol nid oeddent yn gwneud synnwyr i'r sawl oedd yn gwrando arnynt, ond erbyn i Ioan gyfansoddi ei efengyl yr oedd *tridiau* (20) (= ar y trydydd dydd) bron â bod yn derm technegol am yr atgyfodiad. Ceir yma awgrym pwysig ynglŷn â'r modd y mae'r efengyl i'w darllen a'i deall. Rhaid gwneud hynny mewn modd ôl-dremiol neu adolygol (*retrospective*), oherwydd ni ellir ateb y cwestiynau a gyfyd yn sgil gweinidogaeth ac atgyfodiad Iesu ond yn unig yng ngoleuni ei atgyfodiad. (b) Efallai bod dylanwad eclesioleg Paul, a'i gysyniad am yr eglwys fel corff Crist, ar feddwl Ioan. O hyn ymlaen nid y deml yn Jerwsalem yw'r wir deml ond yr eglwys Gristionogol. Disodlir yr hen deml Iddewig, a'i defodau a'i haberthau, gan yr eglwys newydd y daeth Iesu i'r byd i'w sefydlu. (c) Fe allwn fod yn weddol sicr bod Ioan yn pwysleisio arwyddocâd ysbrydol y gosododiad. Ar hyd y canrifoedd, y deml oedd y man cyfarfod rhwng dyn a Duw, ond yn awr fe ddigwydd y cyfarfyddiad hwnnw, nid yng nghynteddau'r tŷ o waith llaw yn Jerwsalem, ond yng nghorff Crist. Ef ei hunan yw'r deml (Hebraeg: *bethel* = tŷ Dduw). Y Logos ymgnawdoledig yw'r fan lle y cyferfydd nef a daear. Mae'n amlwg ddigon ei bod ym mwriad Ioan i osod Iesu a'r deml yn gyfosodol â'i gilydd, er mwyn dangos y bwlch enfawr rhwng y ddau, a rhagoriaeth y naill ar y llall.

Ni adawyd y cais am arwyddion (18) heb ei ateb, ond pwysleisir yn adn. 23-25 nad yw ffydd a sylfaenir yn unig ar wyrthiau yn ddigon. Ni allai Iesu ymddiried yn y sawl a gafodd eu perswadio'n unig gan ei weithredoedd grymus, ac yr oedd ef mewn sefyllfa i ddeall gwir gymhellion ac amcanion pawb yn ddiwahân. Mae'r cyfeiriad at *arwyddion* yn adn. 23 braidd yn anghyson, oherwydd hyd yn hyn ni roddwyd ond un arwydd.

3: 1-21 Iesu a Nicodemus

Yn ystod arhosiad Iesu yn Jerwsalem adeg y Pasg y cyfeiriwyd ato ym mhen. 2 mae'n cyfarfod ag un o wŷr mwyaf dylanwadol y sefydliad Iddewig, ac yn dilyn ceir y cyntaf o'r ymddiddanion sydd mor nodweddiadol o arddull y Bedwaredd Efengyl. Ceir enghraifft glasur yn y fan hon o un o hoff dechnegau'r awdur wrth gyflwyno'i stori, sef defnyddio cymeriad unigryw yn gyfrwng i gyflwyno i'w ddarllenwyr ddysgeidiaeth Iesu ar bwnc allweddol. Mae'n ddiddorol sylwi bod Nicodemus ei hunan yn diflannu o'r llwyfan cyn i'r ymddiddan orffen; nid ef fel person sy'n bwysig, ond yn hytrach y gwirionedd a gyflwynir drwy'r drafodaeth.

Enw Groeg yw *Nicodemus* yn golygu 'gorchfygwr' neu 'arweinydd y bobl'; fe'i mabwysiadwyd gan yr Iddewon ar y ffurf *Naqdimon*, ac mae'n ddiddorol nodi bod gŵr cyfoethog o'r enw hwn yn byw yn Jerwsalem yn 70 OC. Ni sonnir gymaint ag unwaith am Nicodemus yn yr Efengylau Cyfolwg, ac nid yw'n bosibl gwybod i sicrwydd ai person real o gig a gwaed ydoedd mewn gwirionedd, ynteu dyfais lenyddol o eiddo awdur y Bedwaredd Efengyl. Cyfeirir ato deirgwaith yng nghorff yr efengyl (cymh. 7: 50 a 19: 39), ac wrth i'r ddrama ddatblygu (ac mae'n hawdd dehongli pererindod ysbrydol Nicodemus yn nhermau drama dair act), mae'n amlwg fod ei gydymdeimlad â Iesu'n dyfnhau. Uchafbwynt y cyfan yw ei barodrwydd i gynorthwyo Joseff o Arimathea i gladdu corff Iesu, gweithred a hawliai ddewrder a theyrngarwch eithriadol i'w chyflawni.

Y mae Nicodemus yn gynrychiolydd y grefydd Iddewig swyddogol, gyfundrefnol. Mae'n rabbi o statws pur uchel, yn un y gellid yn hawdd ei gymharu â Gamaliel (Act. 5: 34; 22: 3). Yr oedd *o blith y Phariseaid* (1), sef y llymaf a'r mwyaf eithafol o'r pleidiau Iddewig. Ystyr y gair *Phariseaid* yw 'y rhai ar wahân' neu 'y rhai a neilltuwyd'. Yn wahanol i'r Sadwceaid credent ym modolaeth angylion ac ysbrydion, a hefyd yn atgyfodiad y corff.

Credent yn selog yng nghywirdeb yr Hen Destament, a derbynient 'draddodiad yr hynafiaid' yn ddigwestiwn. Yr oedd Nicodemus hefyd yn aelod o *Gyngor yr Iddewon* (1), sef y Sanhedrin, uchaf lys yr Iddewon a gyfansoddid o saith deg aelod ynghyd â'r archoffeiriad (a oedd yn Sadwcead) a weithredai fel cadeirydd. Sefydlwyd y llys ymhell cyn amser Iesu, a chafodd ganiatâd gan y Rhufeiniaid i barhau mewn bodolaeth er mwyn delio ag achosion o natur grefyddol, megis cabledd. Ni feddai'r llys ar yr hawl i ddedfrydu neb i farwolaeth, sef y rheswm y bu'n rhaid trosglwyddo achos Iesu i ddwylo Pilat.

Mae'n arwyddocaol bod Nicodemus yn dod at Iesu *liw nos* (2). Hwyrach ei fod yn ochelgar a gwyliadwrus, neu efallai ei fod yn dymuno sgwrsio â Iesu ar ei ben ei hun, yn rhydd o unrhyw ymyrraeth allanol. Ar y llaw arall roedd yn arferiad digon cyffredin i rabbi drafod y Torah gyda'i ddisgyblion gyda'r nos; erbyn hynny byddai gwres y dydd wedi cilio, a'r awelon tyner yn ei gwneud yn haws cynnal trafodaeth. Sut bynnag, mae'n anodd osgoi'r argraff fod i'r gair *nos* arwyddocâd dyfnach yn y cyd-destun hwn. Oni ddaw Nicodemus at yr hwn sy'n oleuni'r byd, ac onid yr hyn a gynigir iddo yw cyfle i ddod allan o dywyllwch ysbrydol yr hen drefn at ddisgleirdeb presenoldeb Crist? Dyma gyferbynnu eto rhwng yr hen drefn a'r ffydd newydd, rhwng y grefydd sefydliadol sydd wedi chwythu ei phlwc, a'r bywyd newydd a gynigir gan Iesu – thema y mae Ioan eisoes wedi delio â hi ym mhen. 2, ac a fydd yn parhau yn ganolog iddo drwy weddill ei efengyl.

Â'r *arwyddion* (2) (sylwer ar y lluosog) wedi gadael argraff ddofn arno, y mae Nicodemus yn talu teyrnged uchel i Iesu (adn. 2), ond mae ymateb Iesu braidd yn swta (adn. 3) Nid oes amser i ymboeni â chonfensiynau cwrteisi arferol: rhaid i Nicodemus, y rabbi parchus oedd yn byw ei fywyd yn unol â gofynion manwl y Torah, ddeall o'r dechrau bod angen iddo gael ei *eni o'r newydd* (3). Gan fod y gosodiad yn un mor dyngedfennol bwysig fe'i cychwynnir â'r fformiwla *Yn wir, yn wir* (5) a ddefnyddir yn fynych gan Ioan i gyflwyno sylw allweddol. Ei ystyr yn llythrennol yw 'Amen, Amen' (ategiad cadarnhaol yn golygu 'bydded felly'), ac yn Ioan yn unig y'i defnyddir yn ddwbl. Byddai darllenwyr cyntaf yr efengyl yn gyfarwydd â'r term *geni o'r newydd* (3): (i) gwneir defnydd ohono yn yr Hen Destament i ddisgrifio adenedigaeth cenedl, e.e. Esec. 36: 25-27; (ii) dysgai'r Crefyddau Dirgelwch bod yr unigolyn, trwy ymostwng i'w defodau, yn arbennig bedydd, yn cael ei ail-eni i'r byd tragwyddol. Ond fe all yr ymadrodd Groeg olygu hefyd *geni oddi uchod*, ac efallai mai hyn sy'n mynegi'r ystyr orau. Er mwyn cael mynediad i deyrnas Dduw rhaid wrth ailenedigaeth ysbrydol sy'n arwain at fywyd newydd o ansawdd newydd, sef bywyd tragwyddol. Mae'r cyfeiriad yn y fan hon at *deyrnas Dduw* (3, 5) yn ddiddorol. Yn ôl yr Efengylau Cyfolwg dyma thema ganolog pregethu Iesu, ond dyma'r unig droeon pan yw'r ymadrodd yn digwydd yn Efengyl Ioan. Y mae *teyrnas nefoedd* y traddodiad Synoptig a *bywyd* neu *bywyd tragwyddol* y traddodiad Ioannaidd yn dermau cyfystyr. Golyga *teyrnas Dduw* deyrnasiad Duw yng nghalon yr unigolyn, a thrwy hynny drwy'r byd cyfan.

Mae'r cwestiwn a geir yn adnod 4 yn nodweddiadol o un arall o dechnegau'r awdur. Mae'r holwr yn camddeall gosodiad trawiadol o eiddo Iesu ac y mae hyn yn rhoi cyfle i Iesu i roi esboniad llawnach ar ei ddatganiad gwreiddiol. Y mae Nicodemus yn dehongli *geni o'r newydd* (4) yn llythrennol, ac yn dadlau nad yw'n bosibl i ddyn mewn oed ddychwelyd i *groth ei fam* (4). Defnyddiai Iesu'r ymadrodd mewn modd ffigurol i ddynodi'r dechreuad newydd sy'n bosibl i'r credadun trwy ddylanwad Ysbryd Duw. Nid yw hyd yn oed bedydd dŵr (arwydd o edifeirwch a glanhâd a ystyrid yn ddrws i mewn i'r eglwys) yn ddigonol ynddo'i hun. Rhaid i ddyn gael ei *eni o ddŵr a'r Ysbryd* (5). Ni all bedydd dŵr ohono'i hun sicrhau adenedigaeth; yr Ysbryd yn unig a all wneud hynny. Mae Iesu'n cyferbynnu rhwng dau fath ar fodolaeth: (i) *geni o'r cnawd* (6) = bywyd naturiol sy'n deillio o'r groth, a (ii) *geni o'r Ysbryd* = bodolaeth newydd sy'n perthyn i stad uwch, ac sydd â'i ffynhonnell yn Nuw. Mae'n ddiddorol sylwi ar ddau beth yn y cyswllt hwn:

1. Y ffaith fod Ioan Fedyddiwr ei hun yn pwysleisio annigonolrwydd bedydd dŵr ar ei ben ei hun (cymh. Mth. 3: 11).

2. Prin yw'r lle a roddir yn y Bedwaredd Efengyl i'r sacramentau.

Y mae gwaith yr Ysbryd yn adgenhedlu dyn, gan roi iddo fywyd newydd yng Nghrist, i'w gymharu â'r *gwynt* (8), disgrifiad effeithiol gan fod i'r gair Groeg *pneuma* ystyr deublyg, sef 'gwynt' ac 'ysbryd'. Fel y mae dirgelwch ynglŷn â'r gwynt (na welir ond ei effeithiau), felly'n union y mae gyda'r Ysbryd. Ni ellir ei ddeall na'i esbonio ond y mae ei ddylanwad ar y rhai sydd wedi eu geni oddi uchod i'w weld yn amlwg. Y mae hyn oll yn arwain at benbleth ym meddwl Nicodemus (9). Dylai ef o bawb, sy'n *athro Israel* (10), h.y. yn rabbi cydnabyddedig, wybod am y bywyd sy'n tarddu yn Nuw. Os nad yw'n deall pan yw Iesu'n siarad yn syml trwy gyfrwng dameg a delwedd ('genedigaeth', 'gwynt'), sut y bydd yn dirnad *pethau'r nef* (12), h.y. pan fydd Iesu'n ymdrin â gwaith dirgel yr Ysbryd?

Ymhlith dynion nid oes ond un, sef Mab y Dyn, sydd â phrofiad uniongyrchol ganddo o'r byd nefol. Oddi yno y disgynnodd, ac i'r fan honno y bydd yn dychwelyd. Yn wir y mae *wedi esgyn i'r nef* (13) yn awgrymu bod hyn eisoes wedi digwydd. (Wrth reswm, erbyn i'r efengyl hon gael ei hysgrifennu roedd yr esgyniad eisoes yn ffaith). Ond cyn y gallai Mab y Dyn esgyn i'r nef bu'n rhaid iddo ddioddef a marw. Yn Num. 21: 4-9 adroddir am Moses, pan ddaeth pla o seirff gwenwynllyd i'r gwersyll, iddo godi sarff bres (y *nehustan*) er mwyn i unrhyw un a frethid edrych arno, a thrwy hynny arbed ei fywyd. I Ioan y mae hyn yn ddameg o Iesu a'i groes. Wrth iddo syllu arni symudir y credadun o farwolaeth i fywyd. Fe all *dyrchafu* (14) olygu 'codi i fyny ar groes' (yr oedd yn derm technegol am y broses o groeshoelio); ond fe all hefyd olygu 'dyrchafu mewn gogoniant', fel y dyrchefir brenin i eistedd ar ei orsedd. Dyma enghraifft bellach o Ioan yn defnyddio term mewn ystyr dwbl. Awr croeshoelio Iesu oedd awr ei ogoneddu. Trodd ei ddarostyngiad yn fuddugoliaeth. Nid ffigwr truenus, diymadferth oedd y croeshoeliedig ond tywysog. Y mae'r gair *rhaid* (14) yn ein hatgoffa o Mc. 8: 31.

Yn adn. 16 ceir y datganiad mawr mai er mwyn i ddynion dderbyn y gwir fywyd yr anfonodd Duw ei Fab i'r byd. Er bod y *cosmos* (fe'i defnyddir yma am 'y byd drwg presennol', y gyfundrefn fydol, faterol o rym a statws sy'n amcanu'n unig at hyrwyddo hunan-les, mewn cyferbyniad â'r oes a ddêl, a'r byd tragwyddol) yn elyniaethus tuag at Dduw deil i fod yn wrthrych yr *agape* dwyfol (y cariad digymell a estynnir at rai sy'n gwbl annheilwng o'i dderbyn). Nid er condemnio'r byd y daeth Iesu iddo ond er mwyn ei achub. Mae'n amlwg fod i'r iachawdwr-iaeth hon ddimensiynau cosmig: nid achub unigolion yn unig, sylwer, ond creadigaeth gyfan. Wrth gwrs, nid pawb a ddaeth i brofiad o'r achubiaeth hon; y mae rhywrai sy'n dal i *garu'r tywyllwch* (19); mae'n ddewisach ganddynt gysgodion nos na golau dydd am fod y tywyllwch yn fodd i orchuddio eu drygioni. Ond y mae'r sawl sy'n *gwneud y gwirionedd* (21) yn dod at y goleuni er mwyn dangos mai o Dduw y mae eu gweithredoedd yn deillio. Ceir pwyslais cyson yn llên Ioan nad trwy resymu'n ddamcaniaethol y deuir i'r gwirionedd, ond trwy weithredu'n ymarferol a moesol mewn ufudd-dod i ewyllys Duw (cymh.1 In. 1: 6).

Y mae'r ymgom rhwng Iesu a Nicodemus yn gyfraniad pwysig i thema ganolog Efengyl Ioan, sef ansawdd newydd a thragwyddol y bywyd a roddir i bawb sy'n credu, trwy ffydd, ym Mab Duw. Coleddai athronwyr Groeg syniad niwlog am barhad diddiwedd yr enaid yn dilyn marwolaeth. Roedd hwn yn gysyniad dieithr i'r Iddew, ac yn sicr i Ioan nid hyd y *bywyd tragwyddol* (15) sy'n cyfrif, ond ei natur a'i ansawdd. Y mae'r bywyd hwn ar gael eisoes i'r credadun: fe all yntau ddechrau byw yn awr, ym myd amser, y bywyd a berthyn i oes dragwyddol Duw. Dyma'r bywyd y mae Iesu'n ei gynnig i Nicodemus.

3: 22-30   Rhaid iddo Ef Gynyddu ac i Minnau Leihau

Yn yr Efengylau Cyfolwg nid yw Iesu'n dechrau ar ei weinidogaeth hyd nes i Ioan Fedyddiwr gael ei garcharu ond yn Ioan y mae'r ddau'n cydweithio am gyfnod, a chyfyd dadl ynghylch pa un o'r ddau yw'r blaenaf. Mewn rhai llawysgrifau ceir 'Iddewon' yn lle *rhyw Iddew* (25). Nodir yn adn. 22 a 26 bod Iesu ei hun yn bedyddio, ffaith a wedir yn 4: 2. Bedyddiai Ioan Fedyddiwr yn *Ainon, yn agos i Salim* (23). Nid oes sicrwydd ynglŷn â'r union safle. Y mae tref o'r enw 'Salim' gerllaw mynydd Garisim, ac yn agos iddi y mae lle o'r enw 'Ainun' (Aramaeg: *Aenun* = ffynnon). Nid yw'n bosibl gwybod at ba *ddefod glanhad* (25) y cyfeirir. Pwysleisia'r awdur fod Ioan Fedyddiwr (trwy gyfrwng y bedydd a weinyddai) a'r Iddewon (trwy eu seremonïau) fel ei gilydd yn analluog i buro'r enaid; Iesu'n unig sydd â'r gallu ganddo i ddwyn ymaith bechod y byd.

Etyb Ioan ei ddisgyblion (dyma'r unig enghraifft o alw Ioan yn *Rabbi* – adn. 26) nad yw'n annisgwyl bod Iesu'n cael mwy o lwyddiant nag yntau, oherwydd roedd yr arddeliad amlwg ar ei waith yn dod *o'r nef* (27) (h.y. o Dduw), ac roedd yn bedyddio â'r Ysbryd Glân. Ac yn awr, gan fod un mwy nag ef wedi cyrraedd, rhaid i Ioan fynd o'r neilltu. Mae'n gwadu mai ef yw'r Meseia (28) ac yn cydnabod bod yn rhaid i Iesu gynyddu ac iddo yntau leihau (30). Cyflwynir hyn ar ffurf trosiad yn adn. 29. Er pwysiced y gwas priodas nid yw ei safle i'w chymharu ag eiddo'r priodfab. I'r Iddewon yn oedd 'priodfab' yn cynrychioli'r Meseia, a'r 'briodferch' bobl Israel. Gwaith Ioan yw cyflwyno'r briodferch i'r priodfab (cymh. y briodas yng Nghana), ac yna diflannu o'r llwyfan. Dyma danlinellu unwaith eto safle isradd Ioan, nad yw, odid unwaith, yn cael ei alw wrth yr enw 'Bedyddiwr' yn y Bedwaredd Efengyl.

3: 31-36   Yr Hwn sy'n Dod o'r Nef

Nid yw'r adran hon yn dilyn yn naturiol yma. Ai Iesu, ai Ioan sy'n siarad? Efallai mai sylwadau'r awdur ei hunan a geir yma. Y gwahaniaeth mawr rhwng y ddau gymeriad yw'r ffaith fod Ioan, er yn anfonedig gan Dduw, yn ddyn, tra bo Iesu'n Fab Duw. Rhoes Duw ei Ysbryd i'r proffwydi ac i Ioan, iddynt lefaru yn ei enw, ond yn wahanol iddynt hwy y mae Iesu'n meddu ar yr Ysbryd yn ei gyflawnder – *nid wrth fesur* (34).

4: 1-42   Iesu a'r Wraig o Samaria

Wrth ddychwelyd o Jerwsalem i Galilea mae Iesu'n penderfynu teithio trwy Samaria. Fel arfer, oherwydd yr elyniaeth chwerw a fodolai rhwng yr Iddewon a'r Samariaid, buasai'r Iddew yn teithio trwy Perea (ar ochr ddwyreiniol yr Iorddonen), ond y tro hwn y mae Iesu'n dewis peidio â dilyn y ffordd osgoi arferol. Ni fyddai'r *Phariseaid* (1) yn debygol o'i ddilyn i Samaria. Y mae'r gair *rhaid* (4) yn dangos fod y daith yn rhan o'r bwriad dwyfol i'r Samariaid gael cyfle i glywed yr efengyl. Daw i *Sychar* (5), sef Sichem yr hen fyd, ac Askar fodern. Cyfeirir at *y darn tir a roddodd Jacob i'w fab Joseff* (5) yn Gen. 33: 19. Roedd *ffynnon Jacob* (6), a naddwyd o'r graig, yn 106 troedfedd o ddyfnder, ac yn rhoi cyflenwad o ddŵr ffres. Mae'n *hanner dydd* (6), sef chweched awr yr Iddewon, ac mae Iesu'n blino yng ngwres yr haul. Yn eironig y mae'r hwn sy'n cynnig y *dŵr bywiol* (10, 11) yn sychedu ei hunan, enghraifft o bwyslais Ioan (sydd hefyd drymaf ei bwyslais o'r pedwar efengylydd ar dduwdod Crist), ar ddynoliaeth Iesu, sydd, fel pob dyn arall, yn diffygio, yn profi sychder ac yn wylo (gw.11: 33, 35, 38; 19: 28). Os mai 'liw nos' y daw Nicodemus at Iesu, digwydd y cyfweliad yn Samaria pan yw'r haul yn ei anterth, a'i oleuni ar ei danbeitiaf.

Mae'r wraig a ddaw at y ffynnon yn un o gymeriadau unigryw y Bedwaredd Efengyl. Mae hithau'n rhyfeddu at gais Iesu, *Rho i mi beth i'w yfed* (7), gan nad oedd yn arferiad i ŵr siarad â gwraig ar ei phen ei hun; yn wir diolchai'r Iddew yn ddyddiol am iddo beidio â chael ei eni'n wraig, na chwaith yn genedl-ddyn. Ar ben hynny, roedd y wraig yn Samariad, ac er bod Iddew a Samariad yn perthyn yn agos i'w gilydd yn y gwraidd, datblygodd rhyngddynt ddrwgdybiaeth atgas. Yn dilyn cwymp Teyrnas y Gogledd yn 721 CC alltudiwyd hufen y gymdeithas i Asyria, a gosodwyd pobl o ardal yr Ewffrates i wladychu yn Israel. O ganlyniad i'r gyfathrach a fu rhwng y newydd-ddyfodiaid a'r brodorion a adawyd yn weddill yn y wlad ymffurfiodd cenedl gymysg y Samariaid. Yng ngolwg yr Iddew 'pur' yr oeddent yn hanner paganiaid; ni chawsant gynorthwyo gyda'r gwaith o ailgodi'r deml yn dilyn y dychweliad o Fabilon, ac fe'u gwaharddwyd rhag ei mynychu ar ôl hynny. Dyna'r rheswm y bu iddynt adeiladu eu teml eu hunain ar fynydd Garisim. Erbyn amser Iesu roedd y rhwyg yn gyflawn. Yma, felly, y gwelir beiddgarwch Iesu. Myn dorri confensiynau hil, rhyw, dosbarth a thraddodiad er mwyn cynnal ymgom â'r wraig. Ac ef sy'n achub y blaen, ef sy'n cymryd y cam cyntaf, ffaith arall a bwysleisir bron yn ddieithriad gan Ioan wrth iddo ddisgrifio ymwneud Iesu â phobl. O hyd ac o hyd, Iesu sy'n cymryd yr *initiative*.

I'r dwyreiniwr yr oedd dŵr yn hynod werthfawr, a thybiodd y wraig bod Iesu'n cyfeirio at ddŵr naturiol y ffynnon. Ystyr *dŵr bywiol* (10, 11) yw'r 'dŵr sy'n rhoddi bywyd tragwyddol'. Digwydd yr ymadrodd yn llyfr Jer. 2: 13 lle mae'n darlunio'r gynhaliaeth y mae Duw'n ei ddarparu ar gyfer ei bobl. Roedd y rabïaid yn hoff o alw'r Torah yn 'ddŵr bywiol'. Y mae Ioan yn sôn amdano fel rhodd Crist, sef y rhodd o fywyd a gynigir ganddo i'r wraig. Eithr y mae'r wraig yn camddeall, ac yn gofyn dau gwestiwn cwbl amherthnasol: (i) Sut mae Iesu'n mynd i lwyddo i godi'r dŵr hwn, oherwydd y mae'r pydew'n ddwfn ac nid oes ganddo unrhyw offer at y gwaith? (ii) A yw Iesu'n fwy na Jacob, y cymwynaswr a roddodd y tir lle cloddiwyd y ffynnon, ac a ddarparodd, felly, ar gyfer angen pawb – yn rhyddion, caethweision ac anifeiliaid? (Y mae'r elfen o eironi a ddefnyddia Ioan yn y fan hon wrth iddo wrthgyferbynnu rhwng y patriarch Jacob, cynrychiolydd yr hen Israel, a Iesu, y Meseia a sefydlydd yr Israel newydd, yn ddeifiol.) Mae Iesu'n gwneud y mater yn hollol glir. Llwyddo i ddisychedu am gyfnod yn unig a wna dŵr y ffynnon; y mae'r 'dŵr bywiol' a rydd yntau yn tarddu'n dragwyddol ac yn disychedu am byth. Nid yw Iddewiaeth ar ei gorau, na hyd yn oed y Torah (sydd â'i ffynnon yn ddwfn a thrafferthus, ac sy'n galw am deithio a chludo mynych i sicrhau cyflenwad cyson o ddŵr, h.y. y mae ei gofynion yn anodd, a phobl yn methu yn eu hymdrech i gyrraedd y safonau a ddisgwylir ganddi) yn diwallu gwir angen yr enaid. Iesu'n unig a wna hynny. Ef yn unig sy'n rhoi i ddynion yr hyn sy'n *rhodd Duw* (10) yn rhad (Cymh. Dat. 21: 6: 'Rhoddaf fi i'r sychedig ddiod yn rhad o ffynnon dŵr y bywyd'.) Mae'r termau *rhodd Duw* a *dŵr bywiol* yn gyfystyron, ac yn golygu'r hyn sy'n arwain at iachawdwriaeth a gwir fywyd. Mae'r wraig eto'n camddeall, ac yn dymuno derbyn y dŵr bywiol hwn er mwyn arbed iddi ei thaith feunyddiol, flinderus, i'r ffynnon!

Dywedwyd am Iesu ar ddiwedd pen. 2: *yr oedd ef ei hun yn gwybod beth oedd mewn dyn* (25), h.y. yr oedd yn meddu ar wybodaeth oruwchnaturiol ynghylch sefyllfaoedd a chymhellion yr unigolyn, ac felly'n gallu dirnad natur cymeriad. Gwelwyd hynny yn achos Nicodemus, ac fe'i gwelir yn awr yn achos y wraig (adn. 16-19). Dyma ddiben cyfeirio at y *pump o wŷr* (18) a'r ffaith bod ei chymar presennol heb fod yn ŵr iddi. Y farn gyffredin oedd na ddylai gwraig briodi ragor na dwywaith – teirgwaith ar y mwyaf, mewn amgylchiadau eithriadol – ac o glywed Iesu'n dadlennu ei sefyllfa bersonol daw'r wraig yn ymwybodol o'r modd y'i dirmygir gan ei chymdogion. Mae *Syr* (15, 19) yn derm o barch. Awgryma John Marsh mai cyfeirio'n alegorïaidd a wna *pump o wŷr* at gau dduwiau y Samariaid. Gwelwyd eisoes nad yw crefydd y deml yn fodd i ddiwallu'r enaid; dangosir yn awr nad yw duwiau poblogaidd Samaria'n fodd i wneud hynny ychwaith.

Â'r wraig yn ei blaen i holi Iesu ynglŷn â'r man priodol i addoli. Roedd hwn, yn sicr, yn un o gwestiynau llosg y dydd ac yn destun dadlau dibendraw rhwng Iddew a Samariad. Yn ôl y ddeddf Ddeuteronomaidd ni ellid aberthu i Iawe ond mewn un cysegr yn unig, sef ar fynydd Seion yn Jerwsalem, ond fel y nodwyd eisoes gorfodwyd y Samariaid i adeiladu eu teml eu hunain ar fynydd Garisim, ac er i Ioan Hyrcanus ei dinistrio yn 128 CC yr oeddent yn parhau i wneud defnydd cyson o'r safle. Ble, felly, oedd addoli, ai ar fynydd Seion neu ar fynydd Garisim? Wrth ateb cwestiwn y wraig cyfeiria Iesu at amser yn y dyfodol, sef yr oes Feseianaidd, ddisgwyliedig, pan na fyddai addoli'n gysylltiedig â lle na theml ond â'r Ysbryd. Gan mai *Ysbryd yw Duw* (24) (cymharer â'r ddau ddisgrifiad arall o Dduw yn llên Ioan: 'Goleuni yw Duw' (1 In. 1: 5); 'Cariad yw Duw' (1 In. 4: 8), rhaid i'r gwir addolwr ei addoli *mewn ysbryd a gwirionedd* (23) – disgrifiad o'r Ysbryd Glân sy'n nodweddiadol o Efengyl Ioan. Ystyr *ysbryd* (24) yw 'anadl sy'n rhoi bywyd'. Y mae Duw'n gwbl wahanol i bopeth daearol a dynol: y mae'n rym bywiol, yn ffynhonnell bywyd, yn anweledig ac eto'n agos. Ef yw'r *Tad* sy'n ceisio gan ei blant ddynesu ato mewn addoliad drwy'r Ysbryd (23). Dyma'r *gwir addolwyr* (23). Felly, fe all gwir addoliad i Dduw ddigwydd ar Seion ac ar Garisim, ond nid yw'n dilyn, o angenrheidrwydd, ei fod yn digwydd yn un o'r ddau le, oherwydd does a wnelo addoliad â lle ond â'r galon, a'r meddwl a'r ewyllys, ac eneiniad yr Ysbryd. Yr hyn a geir yn awr yw'r datganiad syfrdanol bod yr 'oes a ddêl' wedi cyrraedd yn a thrwy ddyfodiad Iesu (*yn wir y mae yma eisoes*, 23), a'i bod yn bosibl, felly, i wir addoliad gael ei offrymu yn awr, a hynny gan bobl o bob cenedl, nid Iddewon yn unig.

Yn dilyn hyn nid oes ond un peth i'w ychwanegu. Mae'r wraig yn ei ddyfalu, ac y mae Iesu'n ei gyhoeddi: ef yw'r *Meseia* (26), ac ynddo a thrwyddo cyflawnir amcanion Duw. Y mae dau bwynt i'w nodi: (1) Yn Efengyl Ioan y mae Iesu'n Feseia o'r dechrau, ac y mae pobl yn dod i'w nabod felly o gychwyniad ei weinidogaeth. Ni cheir yn Ioan unrhyw awgrym o'r 'gyfrinach Feseianaidd' sydd mor nodweddiadol o Efengyl Marc. (2) *Myfi yw* (26) yw'r enw dwyfol (gw. Ex. 3: 14) y bydd Ioan yn gwneud defnydd helaeth ohono yn y saith ymadrodd 'Myfi yw'.

Mae'r disgyblion yn dychwelyd o'r dref (gw. adn. 8) ac yn rhyfeddu bod Iesu'n sgwrsio â gwraig o gymeriad mor isel (27, cymh. adn. 9). Y mae'r wraig, hithau, yn dychwelyd i'r ddinas, heb ei hargyhoeddi'n llawn. Nid datganiad sydd ganddi i'w rannu â'i phobl ond cwestiwn (29). Nid oes ar Iesu angen y bwyd y mae'r disgyblion wedi dod gyda hwy. Ei *fwyd* ef yw ufuddhau i ewyllys y Tad, sef *yr hwn a'm hanfonodd* (34), ymadrodd sy'n digwydd dros ugain gwaith yn yr efengyl hon. Un o themâu canolog yr awdur yw bod y Mab wedi ei anfon gan y Tad. Mae ateb Iesu (34) yn ein hatgoffa o'i ateb i'r diafol adeg y Temtiad, pan yw'n dyfynnu Deut. 8: 3. Yn dilyn ceir enghraifft arall eto o gamddealltwriaeth ar ran y sawl sy'n gwrando ar Iesu, hynny am eu bod yn derbyn ei eiriau mewn modd llythrennol ac arwynebol, yn hytrach na'u dehongli'n ddelweddol ac yn ysbrydol. Nid yw Nicodemus yn deall y *geni o'r newydd* am ei fod yn ei ddehongli mewn modd corfforol; y mae'r wraig wrth y ffynnon yn camgymeryd *y dŵr bywiol* am rywbeth sy'n cyfateb i ddŵr materol y pydew; ac yn awr y mae'r disgyblion mewn dryswch ynghylch *bwyd* Iesu, ac yn tybio bod rhywun arall wedi dod ag ymborth iddo heb eu bod hwythau'n gwybod (33)!

Mae'n amlwg i'r genhadaeth ymhlith y Samariaid fod yn un lwyddiannus. Yn gyffredin ym Mhalesteina y mae cyfnod o bedwar mis rhwng amser hau ac amser cynaeafu, ond cyhoedda Iesu fod y meysydd ŷd a gwenith eisoes yn wynion ac yn barod i'r medelwyr ymgymryd â'u gwaith. Mae'r bwlch rhwng hau a medi wedi diflannu'n llwyr. Y cynnyrch a gesglir yw'r Samariaid crediniol. Yn adn. 37 dyfynnir o ddihareb Roeg boblogaidd, sy'n awgrymu bod dynion, yn aml, yn gweld ffrwyth eu llafur yn syrthio i ddwylo eraill. Gyda gwaith y deyrnas, fodd bynnag, ni ddylai hyn fod yn rheswm i ofidio neu genfigennu, ond yn hytrach i orfoleddu, gan fod pawb, o bob oes a chenhedlaeth, yn gydweithwyr â'i gilydd. Nid cystadleuaeth yw'r genhadaeth Gristionogol ond partneriaeth. Onid yw'r disgyblion yn elwa ar waith y proffwydi ac Ioan Fedyddiwr, a gwaith Iesu ei hunan? Ac erbyn i'r efengyl gael ei hysgrifennu onid oedd yn wir dweud bod yr eglwys wedi ei hadeiladu ar sail yr apostolion? Y mae'r heuwr a'r medelwr i *gydlawenhau* (36).

Er mai am ddeuddydd yn unig yr arhosodd Iesu yn Samaria, daeth llawer i gredu ynddo (39), a hynny nid oherwydd tystiolaeth anuniongyrchol, ail-law y wraig, ond ar gyfrif yr argraff a adawodd ef ei hunan ar bob un ohonynt yn bersonol (42). Disgrifir Iesu fel *Gwaredwr y byd* (42). Ceir y syniad am 'waredwr' yng nghrefyddau Groeg a'r dwyrain, ond yma yr hyn sy'n cyfrif yw tystiolaeth yr Hen Destament fod y creu, a'r ecsodus o orthrwm yr Aifft, i gyd yn waith y Duw sy'n 'gyfiawn a Gwaredwr'. Yng Nghrist y mae'r waredigaeth i'r holl fyd, nid i'r Iddewon yn unig, a hon yw'r waredigaeth y daeth y Samariaid, yn awr, yn gyfrannog ohoni.

4: 43-54   Iacháu Mab y Swyddog (Yr ail arwydd)

Yn Llyfr yr Actau olrheinir datblygiad y Ffydd Gristionogol o Jerwsalem drwy Samaria ac ymlaen i'r byd cenhedlig. Ni ellir peidio â sylwi mai'r cenedl-ddyn cyntaf i droi'n Gristion yw

Cornelius, y canwriad Rhufeinig (Act. 10). Dyma fersiwn Ioan o'r datblygiad hwn. Estynnir y newyddion da i'r Iddewon (Nicodemus), yna i'r Samariaid (y wraig wrth ffynnon Jacob), ac yna i'r cenhedloedd (y canwriad Rhufeinig). Mae'n arwydd-ocaol bod yr hanes hwn yn dilyn y gosodiad yn adn.42 mai Iesu yw Gwaredwr *y byd*.

Ar ei ffordd yn ôl o Jerwsalem i Galilea aeth Iesu i Gana, lle y cyflawnodd yr arwydd cyntaf. Daeth ato *swyddog i'r brenin* (46) (Groeg: *basilikos* = swyddog yn y gwasanaeth brenhinol) o Gapernaum i geisio ganddo iacháu ei fab. Yn fwy na thebyg yr oedd y gŵr, er yn ganwriad Rhufeinig, ac felly'n genedl-ddyn, yng ngwasanaeth Herod Antipas, llywodraethwr Galilea. Mae'r hanes yn ymdebygu i'r adroddiad am iacháu gwas y canwriad yn Mathew a Luc, gydag ychydig wahaniaethau pwysig: (a) yn Luc caethwas y swyddog sy'n glaf; (ii) yn Mathew mae'r swyddog yn cyfarfod â Iesu wrth i Iesu ddod i mewn i Gapernaum; (iii) yn Luc mae'n danfon dirprwyaeth o henuriaid y synagog i wneud y cais drosto. Yn Ioan, fodd bynnag, mae'r swyddog yn mynd ei hunan i Gana i geisio Iesu. Ymddengys ar y dechrau bod Iesu'n oedi ymateb i'w gais, ond yn y diwedd mae'n sicrhau'r swyddog y bydd ei fab yn gwella, ac ar ei ffordd adref daw ei weision ato â'r newydd am adferiad y bachgen.

Mae'r elfen o frys yn amlwg yn y stori. Roedd y plentyn *ar fin marw* (47) (i Ioan, yr hyn a olyga 'gwyrth' yw adfer bywyd person marw), ac mae'r tad yn pwyso ar Iesu i brysuro *cyn i'm plentyn farw* (49), gan gredu na allai Iesu wneud dim pe bai'r plentyn yn trengi, h.y. nid yw'n sylweddoli bod galluoedd Iesu'n ymestyn y tu hwnt i angau (cymh. cyfodi Lasarus). Ystyrid *un o'r gloch* (52), sef y seithfed awr, yn awr dyngedfennol i'r sawl oedd yn dioddef o dwymyn. Yn yr achos hwn mae Iesu'n iacháu o bell, heb fod mewn cysylltiad uniongyrchol â'r claf: roedd Iesu'n dal yng Nghana, a'r bachgen yng Nghapernaum; nid oes unrhyw awgrym bod y ddau wedi cyfarfod â'i gilydd. Ac y mae'n iacháu rhywun na wnaeth gais ei hunan i dderbyn gwellhad. Wrth gwrs nid oedd y bachgen mewn cyflwr i wneud y cais drosto'i hun.

Mae'r dywediad *nad oes i broffwyd anrhydedd yn ei wlad ei hun* (44) yn digwydd yn y pedair efengyl, ond tra bo *ei wlad ei hun* yn yr Efengylau Cyfolwg yn cyfeirio at Nasareth neu Galilea, yn Ioan cyfeiria at Jerwsalem neu Jwdea. Tra roedd Iesu, brenin Israel, yn wrthodedig yn y ddinas sanctaidd, gorseddfainc Dafydd, yr oedd y Galileaid wedi ei groesawu'n llawen (45). Ac mae *credodd* (50) yn air allweddol. Y mae cenedl-ddyn yn derbyn yr un a wrthodwyd gan yr Iddew. Ac y mae *a'i deulu* (53) yn ein hatgoffa o'r modd y daeth Cornelius a'i holl deulu i gredu cenadwri Pedr, a derbyn eu bedyddio. Mae'r cyfan yn dwyn i ffocws unwaith eto y gwrthdaro cynyddol rhwng Iesu ac arweinwyr crefyddol ei genedl ei hun.

Yma'n unig y ceir yr ymadrodd *arwyddion a rhyfeddodau* (48), h.y. lle mae'r ddau air yn digwydd gyda'i gilydd. Yr oedd 'rhyfeddodau' yn ennyn chwilfrydedd, tra bo 'arwyddion' yn awgrymu ffydd ddyfnach. Ac eto, ar eu pennau eu hunain nid yw'r arwyddion yn rheswm digonol dros gredu mai Iesu yw'r Meseia. Hyn sydd i gyfrif am gerydd Iesu yn adn. 48.

5: 1-18 Iacháu wrth y Pwll (Y trydydd arwydd)

Dyma'r ail dro i Iesu *fynd i fyny* (term technegol am deithio i'r brifddinas, o ba gyfeiriad bynnag yr aed) i Jerwsalem (1). Y tro cyntaf, pan lanhaodd y deml, yr oedd yn ŵyl y Pasg. Y tro hwn, yr ŵyl fwyaf tebygol yw Pentecost. Daw Iesu at *y pwll a elwir Bethesda* (2) (Hebraeg: *beth hesed* = tŷ trugaredd; mae'r fersiynau 'Bethsatha' a 'Bethsaida' hefyd yn bosibl), a oedd wrth *Borth y Defaid* (2), sef porth i'r gogledd-ddwyrain o'r deml. Daeth archaeolegwyr o hyd i lyn dwbl i'r gogledd o'r deml, ac o'i gwmpas adeilad â phum cyntedd iddo, lle arferai cleifion eistedd a chysgodi. Awgrymwyd bod ystyr drosiadol i'r *pum cyntedd colofnog* (2), a'u bod yn cynrychioli'r Pumllyfr, sef llyfrau

Cyfraith Moses. Y mae rhai llawysgrifau'n ychwanegu adn. 3b-4, sy'n cyfeirio at y goel boblogaidd bod *angel yr Arglwydd* (3b) yn disgyn o bryd i'w gilydd i gynhyrfu'r dŵr, gan roi iddo alluoedd iacháu. Yr esboniad mwyaf tebygol ar hyn yw bod ffynnon yn llifo i mewn i'r llyn a bod honno, ar brydiau, yn byrlymu ac yn aflonyddu'r dyfroedd. Rhoddwyd esboniad goruwchnaturiol i ffenomen naturiol. Mae *deunaw mlynedd ar hugain* (5) yn amser maith, ond prin ei fod yn cyfateb (fel yr awgrymir weithiau) i'r deugain mlynedd o grwydro yn yr anialwch. Go brin, hefyd, fod ateb y claf (yn adn. 7) i gwestiwn Iesu, *A wyt yn dymuno cael dy wella?* (6) yn argyhoeddi. Mae C.H. Dodd yn haeru y gallasai'r dyn fod wedi ei iacháu flynyddoedd ynghynt pe bai wedi ewyllysio disgyn i'r dŵr. A oedd o ddifrif yn ceisio meddyginiaeth?

Amcan y trydydd arwydd yw dangos bod Iesu'n rhagori ar y gyfraith Iddewig: mae'n arglwydd y Saboth. Hefyd, dengys anallu Iddewiaeth i helpu'r dioddefwr: ni allai dyfroedd y pwll adfer ei nerth. Y mae nifer o fanynlion y stori yn cyfateb i adroddiad Marc am iacháu'r claf o'r parlys (Mc. 2: 1-12). Yr un gair am 'wely' (Groeg: *krabbatos* = gwely dyn tlawd, neu wely milwr) a geir yn y ddau, ac mae'r ddau orchymyn, *Cod, cymer dy fatras a cherdda* (8) a *Paid â phechu mwyach* (14) yn cyfateb yn union. Ond y mae dau wahaniaeth pwysig: (1) Yn Marc y mae pedwar cyfaill yn cario'r claf at Iesu; yn Ioan nid oes neb yn ei helpu (7), a Iesu'n sy'n ei ddewis ar gyfer ei iacháu. (2) Yn Marc cyfyd dadl am fod Iesu'n honni ei fod yn gallu maddau pechodau; yn Ioan try'r ddadl o gwmpas cwestiwn cadw, a thorri, y Saboth. Heblaw bod Iesu wedi iacháu (ac felly wedi cyflawni gwaith) ar y Saboth, roedd y claf, yntau, wedi torri'r gyfraith wrth gario'i fatras ar y dydd cysegredig. Mae'n gosod y bai ar Iesu (11), a'r canlyniad yw bod yr Iddewon yn adweithio'n chwyrn. Pan yw Iesu'n cwrdd â'r dyn am yr eildro yn y deml, mae'n maddau ei bechodau ac yn ei rybuddio rhag pechu eto, rhag ofn i *rywbeth gwaeth* (14) ddigwydd iddo – cerydd sy'n adlewyrchu syniad yr Iddew bod cysylltiad anochel rhwng afiechyd a phechod a chosb (cymh. 9: 2).

Dyma'r ail dro i'r *Iddewon* (15, 18) gael eu henwi'n benodol fel gwrthwynebwyr Iesu (cymh. 2: 18), a dyma'r cyntaf o nifer o gwerylon â hwy. Fel Marc o'i flaen mae Ioan yn pwysleisio i'r Iddewon ymdynghedu i ladd Iesu am iddo, yn fwriadol, ddiystyru deddfau'r Saboth (16). Y mae amddiffyniad Iesu'n unigryw i Ioan. Dadleuai'r Iddewon: Sut mae'n bosibl i Dduw gadw'r Saboth os yw'n cynnal ei greadigaeth yn barhaus? Atebai'r rabïaid: Er bod Duw wedi gorffen creu'r byd ar y chweched dydd, roedd yn rhaid iddo ei gynnal ar y seithfed neu byddai'r cread cyfan, sy'n llwyr ddibynnol ar Dduw nid yn unig am ei fodolaeth ond hefyd am ei gynhaliaeth, wedi darfod amdano. A'r un drefn sydd ar waith bob Saboth, yn ddieithriad. Felly, ymresyma Iesu, os yw Duw'n weithredol ar y Saboth, felly yntau yr un modd (17). Mae'n gwawrio ar ei wrthbleidwyr bod Iesu'n ei uniaethu ei hunan â Duw, ac felly'n cablu. Does dim amdani, bellach, ond ceisio ffordd i gael gwared arno.

Yn ôl Joachim Jeremias ni cheir unrhyw dystiolaeth oddi mewn i Iddewiaeth Palesteina bod neb yn cyfarch Duw fel Tad, ond dyma'r union beth a wna Iesu (17), a thrwy hynny ei wneud ei hunan yn *gydradd â Duw* (18). O leiaf, dyna'r casgliad y daeth yr Iddewon iddo. Fel y dengys yr araith ddilynol (5: 19-47), mae'n agored i gwestiwn a oedd yr awdur ei hunan yn credu bod Iesu'n gydradd â Duw, ac eto fe ddengys y trydydd arwydd fod y berthynas rhwng Iesu a Duw yn un unigryw.

5: 19-47 Awdurdod y Mab

Defnyddia'r awdur y sefyllfa uchod i gynnwys araith hir o eiddo Iesu i'r Iddewon ar y berthynas rhwng y Tad a'r Mab. Yn dilyn yr hyn a ddywedwyd yn y Prolog, ac yng ngoleuni'r hyn a ddywedir yn nes ymlaen (yn arbennig trwy gyfrwng yr ymadroddion 'Myfi yw'), mae Ioan yn pwysleisio (i) statws dwyfol y Mab, a (ii) dibyniaeth y Mab ar y Tad, a'i ufudd-dod iddo. Y mae adn. 19 a 20 yn ganolog, nid yn unig fel ateb Iesu i'r Iddewon, ond hefyd am eu bod yn crynhoi Cristoleg Ioan. Nid yw'r Mab yn gwneud dim ohono'i hun, ond yn unig yr hyn a wêl y Tad yn ei wneud. Mae'r Tad a'r Mab mewn perthynas agos, gariadus, â'i gilydd: *y mae'r tad yn caru'r Mab* (20), ac yn dangos iddo'r cyfan a wna. Felly myn Iesu mai ef yw'r datguddiad cyflawn o Dduw i ddyn, oherwydd nid oes dim a wna Duw heb ei fod yntau'n gwybod amdano, ac nid oes dim a ŵyr yntau am waith Duw nad yw'n ei hysbysu i ddynion. Nid yw'r Iddewon i dybio iddynt weld y peth grymusaf y gall Duw ei wneud, oherwydd bydd y Mab yn gwneud pethau mwy rhyfeddol na gwella'r dyn claf (20). Mae'r anerchiad yn datblygu o dan bedwar pennawd:

1. **Rhoi bywyd** (21, 24-26). I'r Iddew, Duw yn unig oedd yn meddu ar y gallu i *godi'r meirw* (21), ond y mae gan y Mab alluoedd cyffelyb, ac mae'n rhoi bywyd i'r sawl a fyn, nid yn unig yn y presennol (24) ond hefyd yn y dyfodol pan fydd y meirw'n codi o'u beddau i wynebu eu tynged haeddiannol (29). Gwireddir yr addewid *bydd y meirw yn clywed llais Mab Duw* (25) yn eglur ddigon gydag atgyfodiad Lasarus (gw. 11: 43).

O dan y pennawd hwn eglurir sefyllfa bresennol y credadun. Y mae eisoes wedi ei fywhau, ac wedi ei symud o farwolaeth i fywyd. Nid yw o dan gondemniad (cymh. Rhuf. 8: 1), ac y mae bywyd yr oes a ddêl eisoes wedi gwawrio yn ei brofiad, oherwydd y mae'r sawl sy'n credu yn Iesu *yn meddu ar fywyd tragwyddol* (24), nid fel rhodd i edrych ymlaen ati yn y dyfodol, ond fel profiad i gyfranogi ohono yn y presennol. Mae'r amser sydd i ddod *yma eisoes* (25). Cadarnheir yn y fan hon yr hyn a ddangoswyd yn barod wrth i Iesu drafod addoli (4: 23), sef bod dyfodol Duw wedi torri i mewn, yn a thrwy Iesu, i bresennol dyn, gan ddod yn rhan annatod o ymwybyddiaeth y credadun. Dyma enghraifft bellach, felly, o 'eschatoleg gyflawnedig' y

Bedwaredd Efengyl. Mae'r 'pethau diwethaf' eisoes ar waith, yn y byd hwn o amser.

2. **Gweinyddu barn** (22, 23, 27-29). Y mae'r Duw sy'n grëwr hefyd yn farnwr, ond nid yw'n gweinyddu barn heb y Mab. Wrth gwrs, ar un olwg nid yw Duw yn *barnu neb* (22): dyn sy'n ei farnu ei hunan yn y modd y mae'n ymateb i'r rhodd o fywyd. Y mae'r Tad wedi ymddiried y cyfrifoldeb hwn i'r Mab, er mwyn i'r Mab gael ei ogoneddu ynghyd â'r Tad – *er mwyn i bawb roi i'r Mab yr un parch ag a rônt i'r Tad* (23). Y mae amharchu'r Mab yn gyfystyr ag amharchu'r Tad a'i hanfonodd. Yn Dan. 7: 13 rhoddir pob awdurdod a gallu i 'un fel mab dyn', a dyma'r teitl a roddir i Iesu yn y fan hon.

3. **Tystiolaethu** (31-40). Ni dderbyniai'r Gyfraith dystiolaeth dyn amdano'i hun, heb fod ganddo dystion (Deut. 19: 15). Yn yr un modd y mae gan Iesu dystion i gadarnhau bod ei dystiolaeth yn eirwir, sef (i) y Tad, yr *un arall* (32); (ii) Ioan Fedyddiwr (sylwer mai *cannwyll* (35) yw Ioan, nid y gwir oleuni); (iii) ei weithredoedd ei hunan (36), sef yr arwyddion; (iv) yr Ysgrythurau (39), sef, yn y cyswllt hwn, yr Hen Destament. Dyma lle roedd yr Iddewon yn gwneud camgymeriad dybryd. Nid yr Ysgrythurau (y Torah yn fwyaf arbennig) eu hunain sy'n rhoi bywyd; Iesu sy'n rhoi bywyd, a rhan yr Ysgrythurau yw tystiolaethu iddo ef; (v) Moses (45-47). Credai'r Iddewon mai ef oedd awdur y Pumllyfr.

4. **Gogoniant y Mab** (41-47). Nid clod gan ddynion a dderbyn Iesu, oherwydd nid yw dynion yn caru Duw. Daeth ef yn enw'r Tad, ac y maent wedi ei wrthod. Honnai'r Iddewon eu bod yn derbyn tystiolaeth Moses, ond sut y gallai hynny fod yn wir, gan fod Moses yn dwyn tystiolaeth i Grist? Gwêl rhai yn y geiriau *rhywun arall* (43) gyfeiriad at Bar Cochba, a haerodd yn 132 OC mai ef oedd y Meseia.

6: 1-15 **Porthi'r Pum Mil** (Y pedwerydd arwydd)

Pan welodd y dyrfa y gwyrthiau (*arwyddion* – adn. 2) a gyflawnodd Iesu ar y cleifion maent yn ei ddilyn i ochr draw Môr Galilea. Codwyd Tiberias (1) tua'r flwyddyn 26 OC er anrhydedd i'r ymerawdwr Tiberias. Y syndod yw bod Iesu yn ôl yng Ngalilea mor fuan, gan fod pen. 5 yn gorffen ac yntau'n dal mewn trafodaeth â'r Iddewon yn Jerwsalem. Mae'n reit bosibl y ceir enghraifft yma o ddadleoli, ac y dylai pen. 6, yn ôl y drefn wreiddiol, ddilyn pen. 4. Hyn sy'n gwneud y mwyaf o synnwyr.

Adroddir am fwydo'r pum mil yn y pedair efengyl, ac mae'n amlwg fod Mathew a Luc yn glynu'n agos at Marc. Y mae Ioan hefyd yn debyg i Marc (6: 30-44) mewn llawer o fanylion, e.e. wrth gyfeirio at (i) *dau gant o ddarnau arian* (7), sef dau can denarius. Darn arian Rhufeinig oedd denarius, ac un denarius oedd cyflog llafurwr cyffredin am ddiwrnod caled o waith; (ii) y *deuddeg basged* (13) o weddill; (iii) y *glaswellt* (10). Oherwydd y gyfatebiaeth agos hon bu rhai esbonwyr yn awgrymu bod Ioan wedi darllen Marc, ond yr hyn sy'n fwy tebygol yw bod y ddau efengylydd wedi pwyso ar yr un traddodiad llafar, cynnar sy'n gorwedd y tu ôl i'r efengylau ysgrifenedig.

Y gwir yw bod Ioan yn cynnwys rhai elfennau sy'n absennol o'r Efengylau Cyfolwg, e.e. (i) y cyfeiriad at y *Pasg* (4). Dyma'r ail Basg yn ôl cronoleg Ioan. Yr hyn sy'n bwysig i'r awdur yw'r symbolaeth y tu ôl iddo. Yr Ewcharist, y bydd yn delio ag ef yn y man, yw'r Pasg Cristionogol, a Iesu yw Oen y Pasg Cristionogol; (ii) mae'r cyfeiriadau at Philip ac Andreas yn bwysig yn fersiwn Ioan; (iii) Ioan yn unig sy'n sôn am y *bachgen ... â phum torth haidd a dau bysgodyn ganddo* (9). Yn yr efengylau eraill y disgyblion sydd â'r torthau a'r pysgod. Ac y mae nodi mai torthau *haidd* oedd y bara yn unigryw i Ioan. Defnyddid haidd i wneud bara i'r tlodion; (iv) yn Ioan yn unig y ceir y gorchymyn i gasglu'r tameidiau a oedd yn weddill –arwydd o barch yr Iddewon at fwyd, a'r ffaith na ddylid gwastraffu dim ohono; (v) yn y Bedwaredd Efengyl yn unig y cyfeirir at ymateb y dorf. O ganlyniad i'r wyrth credodd y bobl mai Iesu oedd y Meseia (roedd yn draddodiad yn Israel y byddai'r Meseia, pan ddeuai, yn bwydo'i bobl). Synhwyra Iesu fod y dorf am ei goroni'n frenin, ond nid yw ei frenhiniaeth ef o'r byd hwn, ac felly mae'n encilio i lonyddwch y mynydd (15).

Yr hyn sy'n digwydd yn y fan hon yw bod Ioan yn rhoi dehongliad cwbl arbennig i'r hyn sy'n ymdebygu i wyrth natur. Iddo ef, yr oedd bwydo'r pum mil yn gyfystyr â gwledd sacramentaidd, ac yn rhagarweiniad i'r myfyrdod dwys ar yr Ewcharist sy'n dilyn yn 6: 26-65. Nodwyd eisoes mai prin yw diddordeb Ioan yn y sacramentau; pan ddeuwn at hanes Iesu'n cyfarfod â'i ddisgyblion yn yr oruwchystafell, y noson y bradychir ef, nid yw Ioan yn sôn dim amdano'n sefydlu ordinhad Swper yr Arglwydd (yr hyn a geir, yn hytrach, yw'r hanes unigryw am Iesu'n golchi traed ei ddisgyblion). I Ioan y mae sefydlu sacrament y Cymun i'w ddeall yng ngyd-destun bwydo'r dyrfa, ac y mae'r geiriau *cymerodd, diolch, rhannodd* (11) i gyd yn adleisio rhuddell y gwasanaeth Cymun. Â Iesu i'r *mynydd* (3) (fel y rhoes Moses yr hen ddeddf o Seinai, y mae Iesu yn awr yn rhoi'r 'bara o'r nef' i'r bobl, cymh. Mth. 5: 1, a'r cyfeiriad at Iesu'n mynd i fyny i'r mynydd er mwyn llefaru'r Gwynfydau), ac *eistedd yno gyda'i ddisgyblion* (3), yn union fel y gwnaeth yn yr oruwchystafell. Mae'n dweud wrth ei ddisgyblion am roi gorchymyn i'r dyrfa eistedd ar y glaswellt (10), fel pe baent mewn gwledd, manylyn sy'n ein hatgoffa am y modd y bu Iesu a'r Deuddeg yn lledorwedd wrth y bwrdd. Yng nghyfnod cynnar yr eglwys dosberthid elfennau'r Cymun gan y bobl eu hunain (nid yr offeiriad), ac mae'n fwy na phosibl fod y *bachgen* (9) fel pe bai'n cyflawni swyddogaeth diacon a gynorthwyai yn y modd hwn yn y gwasanaeth. Ac fel yr oedd Moses wedi bwydo'r bobl â manna, a soflieir o'r môr (gw. Num. 11: 31), y mae'r Moses newydd yn eu bwydo â bara o'r nef a bwyd o'r môr (*pysgod*, 11). Ystyr 'ewcharist' yw diolch (11). Y gras bwyd arferol a edrydd yr Iddew yw, 'Bendigedig wyt Ti, O Arglwydd ein Duw, Brenin y Cyfanfyd, a ddygaist fara o'r ddaear'.

6: 16-21   Cerdded ar y Dŵr (Y pumed arwydd)

Fel yn Marc dilynir bwydo'r pum mil â'r hanes am y disgyblion yn croesi'r llyn i Gapernaum. Yr oedd *yn dywyll* (17), a'r duwch hwnnw yn fwy na thywyllwch naturiol. Symbol ydyw o ddryswch meddwl y disgyblion am nad yw Iesu gyda hwy. Pan oedd Marc yn ysgrifennu ei efengyl yr oedd aelodau'r eglwys ar y pryd ynghanol nos yr erledigaeth greulon a anelodd Nero yn eu herbyn; eu profiad parhaus hwythau oedd bod y Crist atgyfodedig yn agos atynt, i'w nerthu.

Cododd gwynt cryf a chynhyrfu'r môr yn hollol ddirybudd, fel sy'n gallu digwydd yn aml ar fôr Galilea. Wrth iddynt rwyfo ymhellach am ryw dair neu bedair milltir, maent yn canfod Iesu'n cerdded tuag atynt ar y dŵr, ac fe'u meddiennir gan *ofn* (19). Dyma'r unig dro i Ioan grybwyll fod y disgyblion yn ofnus ym mhresenoldeb Iesu; digwydd hynny'n aml yn ôl adroddiad yr Efengylau Cyfolwg. Mae Iesu'n eu cysuro â'r geiriau, *Myfi yw, peidiwch ag ofni* (20), ac y mae hyn fel petai'n baratoad ar gyfer yr anerchiad sy'n dilyn, a'r dywediadau 'Myfi yw' y bydd Ioan, o fewn dim, yn eu cynnwys yn ei efengyl.

Sut mae egluro'r ffaith i Iesu *gerdded ar y môr* (19)? Fe ellir cyfieithu'r testun Groeg naill ai yn *cerdded ar y môr*, neu yn *cerdded wrth y môr*, h.y. bod Iesu'n cerdded ar y lan, ac yn gweld ei ddisgyblion mewn trafferth ar y don, ond y mae John Marsh yn bendant o'r farn fod Ioan yn adrodd hanes gwyrth. Ac y mae rhai esbonwyr yn gweld ail wyrth yma, sef bod y cwch a oedd allan dros dair milltir ar y môr mewn tywydd garw wedi llwyddo i gyrraedd diogelwch y lan *ar unwaith* (21).

Nid yw pob esboniwr yn dehongli'r digwyddiad hwn fel un o'r arwyddion. Os yw'n 'arwydd', yna, arwydd o beth? Beth yw'r gwirionedd a fynegir trwyddo? Er enghraifft, y mae John Marsh o'r farn mai atgyfodiad Iesu yw'r seithfed, a'r mwyaf, o'r arwyddion, ac felly na ddylid ystyried y digwyddiad hwn yn un ohonynt. I esbonwyr eraill y mae'r hanes yn darlunio dirgelwch person Iesu fel un y mae ganddo reolaeth ar y gwynt a'r tonnau. Cyfeirir droeon yn yr Hen Destament at Dduw fel un sydd â'r gallu ganddo i reoli'r llifogydd ac ymchwydd y don (e.e. Salm 93), ac yma y mae Ioan yn priodoli'r un awdurdod i Iesu, Mab Duw.

6: 22-59   Iesu, Bara'r Bywyd

Yn yr anerchiad maith sy'n dilyn yr hanes am fwydo'r dyrfa y mae Ioan yn amlinellu ei ddysgeidiaeth am yr Ewcharist. Traddodir yr anerchiad yn synagog Capernaum, ac y mae ei gynnwys yn gwbl nodweddiadol o arddull lenyddol Ioan. Yma y gwelir yr ystyr ddyfnach i'r wyrth faterol: Iesu yw *bara'r bywyd* (35), sef ffynhonnell bywyd ysbrydol.

Braidd yn aneglur yw adn. 22-25. Y ffordd orau i'w hesbonio yw trwy gymryd mai'r hyn a welodd y dorf ar ddiwrnod y wyrth oedd bod un cwch yn unig wrth y lanfa. Nid oedd Iesu, i bob golwg, wedi mynd i mewn iddo, ac eto, fore trannoeth, nid oedd ef a'i ddisgyblion i'w gweld yn un man. I ble, felly, y diflannodd? A sut oedd wedi hwylio heb gwch? Yr hyn a wna'r bobl yw defnyddio'r cychod o Diberias i hwylio drosodd i Gapernaum i chwilio amdano, gan ragweld bod Iesu wedi cyflawni gwyrth faterol arall. Dengys *ar ôl i'r Arglwydd roi diolch* (23) bod yr Eglwys Fore yn amlwg yn dehongli porthi'r pum mil yn nhermau gwledd ewcharistaidd. Gellir rhannu'r araith o dan bedwar pennawd:

1. **Natur y bwyd sy'n diwallu gwir angen dyn** (26-34). Dilynodd y dorf Iesu am iddynt gael eu porthi â bara, nid am eu bod yn deall ystyr dyfnach yr 'arwyddion'. O'r braidd iddynt ystyried y

bwydo yn nhermau 'arwydd' o gwbl, oherwydd iddynt hwy yr hyn oedd y wyrth oedd modd i ddiwallu eu chwant am fwyd. Maent i geisio'r bwyd sy'n para i fywyd tragwyddol (27), oherwydd er bod y *bwyd sy'n darfod* (27) yn bwysig (gw. Es. 55: 2,3), yn wir yn gwbl angenrheidiol i gynnal y corff, nid yw'n ddigon. Mae'r bara tragwyddol yn cael ei roi gan Fab y Dyn sy'n dod i'r byd â *sêl ... awdurdod* Duw (27), h.y. y mae'r Tad yn gwirio, yn tystio i'r gwirionedd sydd yng Nghrist.

Ewyllys Duw yw bod dynion yn credu yn ei Fab, ond cyn credu rhaid iddynt gael eu hargyhoeddi, ac felly maent yn gofyn am *arwydd* (30). Yn yr anialwch rhoddodd Duw fara o'r nef i'w tadau; a all Iesu gyflawni gwyrth debyg? Y mae hyn yn adlewyrchu cred y rabïaid y buasai manna yn disgyn o'r nef unwaith eto yn yr Oes Feseianaidd. Daw'r hanes o Ex. 16, ond mae 31b o Neh. 9: 15. Mewn ateb i'w cais y mae Iesu'n gwneud dau sylw: (1) Nid Moses, ond Duw, a roddodd y bara o'r nef; (2) Nid bara o'r nef a roes Moses i'r Hebreaid, ond bara sy'n darfod, sef y manna yr oedd tymor ei barhad am ddiwrnod yn unig. Duw yw'r un sy'n darparu bara'r bywyd i ddyn, a Christ yw'r gwir fwyd sy'n diwallu angen dyfnaf yr enaid.

2. **Iesu yw bara'r bywyd** (35-40). Mewn ymateb i gais y dorf am y gwir fara, mae Iesu'n cyflwyno'r cyntaf o'r saith ymadrodd 'Myfi yw'. Ystyr *bara'r bywyd* (35) yw'r bara sy'n rhoi bywyd; y bara sy'n fywyd; y bara sy'n ffynhonnell bywyd tragwyddol. Y mae gan Iesu y bara hwn ynddo'i hun, ac mae'n ei gyfrannu i'r sawl sy'n credu ynddo. Bywyd yr 'oes a ddêl' yw hwn, ond i'r credadun, trwy ei ffydd yng Nghrist, daw yn eiddo iddo yn awr, yn y byd hwn o amser. Y ffordd i feddu ar y bywyd tragwyddol hwn yw trwy ymddiried yng Nghrist. O wneud hynny ni newynir ac ni sychedir byth mwy, am fod pob angen ysbrydol wedi ei ddiwallu. Cyfeiria *syched* (35) at y dŵr a darddodd o'r graig yn Horeb pan drawodd Moses hi â'i wialen (Ex. 17: 6). Mae Paul yn dweud mai'r *graig yw Crist* (1 Cor. 10: 4).

Roedd yn bosibl i gyfoeswyr Iesu gredu yn y Mab, a chael bywyd, am ei fod yn weledig iddynt, h.y. trwy'r Ymgnawdoliad, ac eto er eu bod yn ei weld â'u llygaid nid ydynt yn credu ynddo. Y mae Duw wedi *rhoi* (37) rhywrai (h.y. wedi eu dewis) i ddod at Iesu, ac ni fyddant hwy byth yn cael eu gwrthod. Ewyllys y Tad yw bod pob un sy'n gweld y Mab ac yn credu ynddo yn cael bywyd tragwyddol, ac yna'n cael ei *atgyfodi yn y dydd olaf* (39). Dyma gyfeirio, felly, at heddiw ac yfory, yr hyn sydd a'r hyn sydd i ddyfod, yng nghyd-destun iachawdwriaeth: i'r credadun y mae bywyd tragwyddol yn brofiad i'w feddiannu yn y presennol, a hefyd yn obaith gwynfydedig am y dyfodol. Yr hyn a geir yma yw cyfuniad o'r 'eschatoleg gyflawnedig' (y soniodd C.H. Dodd amdani, ac y ceir cynifer o enghreifftiau ohoni yn Efengyl Ioan), lle mae addewidion y dyfodol yn dod yn ffaith yn y presennol, ac o eschatoleg mwy confensiynol sy'n disgwyl pethau gwych i ddyfod yn niwedd yr amserau. Fe ŵyr y Cristion am ddylanwad y ddwy ar ei feddwl a'i brofiad.

3. **Sut mae adnabod Iesu fel y bara o'r nef?** (41-51) Mae'r Iddewon yn protestio: maent yn adnabod rhieni Iesu; sut felly y gall *mab Joseff* (42- sylwer nad yw Mair yn cael ei henwi) daeru mai ef yw'r *bara a ddisgynnodd o'r nef* (41), hynny trwy gyfrwng yr Ymgnawdoliad? Mae ymresymiad yr Iddewon yn y fan hon yn ein hatgoffa o adroddiad Marc am amheuaeth pobl Nasareth (Mc. 6: 2, 3). Mae Iesu'n ateb trwy ddangos bod yr haeriad mai mab Joseff yw'r *bara o'r nef* yn un mor afresymol fel na fyddai neb yn ei dderbyn oni bai fod Duw wedi ei ordeinio. Y mae'r sawl sy'n cael eu *tynnu* (44) gan Dduw (ymadrodd anghyffredin) yn dod at Iesu, a chânt eu hatgyfodi yn y dydd diwethaf.

Y mae *fy nghnawd* (51) yn sicr yn cyfeirio at yr Ewcharist. Cnawd Crist yw'r bara bywiol. Trwy ei farw aberthol y mae dynion yn cael bywyd. Yn yr anialwch bwytaodd y tadau y manna, ond ni bu hynny'n fodd i'w harbed rhag marw yn eu hamser. Mae'r sawl sy'n bwyta cnawd Crist ac yn yfed gwaed

Crist yn byw am byth (54), ymadrodd sy'n arwain yn anochel, o'i gymryd yn llythrennol, at athrawiaeth trawsylweddiad. Erys y cwestiwn ai union eiriau Iesu ei hunan a groniclir yn y fan hon, ynteu myfyrdod llawer iawn mwy diweddar o eiddo'r eglwys ynghylch ystyr y Cymun, ac a yw'r geiriau i'w dehongli'n llythrennol neu'n ddamhegol a throsiadol?

4. **Cnawd a gwaed Iesu Grist, Mab y Dyn** (52-59) Unwaith eto mae'r Iddewon yn dadlau am eiriau Iesu: *Sut y gall hwn roi ei gnawd i ni i'w fwyta*? (52). A yw Iesu'n argymell ymarfer canibaliaeth? Yn ei ateb y tro hwn y mae Iesu'n mynnu'n bendant mai'r unig ffordd i ddynion gael bywyd tragwyddol yw trwy fwyta cnawd ac yfed gwaed Mab y Dyn. Mae adn. 57 yn crynhoi'r cyfan: (i) Y Tad sydd wedi anfon y Mab, fel Mab y Dyn; (ii) mae'r Mab yn byw i gyflawni ewyllys y Tad; (iii) trwy aberth y Mab gall dynion fwyta ei gnawd ac yfed ei waed, h.y. yn sagrafennol yn y Cymun, a dod, trwy hynny i berthynas newydd â Duw yng Nghrist a chael bywyd tragwyddol. Mae'n bwysig sylwi mai *fy nghnawd*, ac nid 'fy nghorff', a geir yn y testun. 'Roedd 'cnawd' yn derm am ddynoliaeth; yma eto, felly, y mae Ioan yn pwysleisio dyndod cyflawn Iesu.

6: 60-71 **Geiriau Bywyd Tragwyddol**

Yr hyn a ystyrir fan hyn yw parodrwydd rhai o'i ddisgyblion, ac amharodrwydd eraill ohonynt, i dderbyn dysgeidiaeth Iesu. Mae ei eiriau yn *galed* (60), ac yn peri tramgwydd, nid am eu bod yn anodd i'w deall ond am eu bod yn anodd i'w credu, e.e. ei eiriau am fara'r bywyd, ac am fwyta'i gnawd. Os yw'n anodd credu i Iesu ddod o'r nef mae'n anos fyth credu y bydd yn dychwelyd yno eto. Y mae *lle 'r oedd o'r blaen* (62) yn cyfeirio at gynfodolaeth Iesu; bydd yn dychwelyd i'r union fan y daeth ohono trwy ei groes, ei atgyfodiad a'i esgyniad. *Yr Ysbryd sy'n rhoi bywyd* (63) yw Ysbryd y Crist Atgyfodedig. Y mae'r *cnawd* yn perthyn i fyd 'y bwyd sy'n darfod' tra bo'r Ysbryd yn bywhau. Y mae'r Ysbryd yn gorffwys ar Iesu, ac eto y mae rhai'n gwrthod credu ynddo. Heb waith y Tad nid yw ffydd yn bosibl. Y mae ffydd yn wyrth o eiddo Duw.

Ar ôl i'r disgyblion eraill ymadael (mae'n rhaid bod gan Iesu gylch eang o ganlynwyr), mae'n troi at *y Deuddeg* (67) (dyma'r tro cyntaf i'r term ddigwydd yn yr efengyl; cofier nad yw Ioan yn rhoi hanes galw'r Deuddeg), i'w herio hwythau. Y mae cyffes Pedr yn y fan hon (68, 69) yn cyfateb i adroddiad Mathew am y datganiad yng nghyffiniau Cesarea Philipi (Mth. 16: 16). Term am y Meseia, ac enw arall am Grist, yw *Sanct Duw* (69) yn nhestun Ioan. Yn yr Efengylau Cyfolwg y mae datganiad Pedr yn drobwynt yn hanes gweinidogaeth Iesu, ac felly yma. Dyma ddiwedd adroddiad Ioan o'r weinidogaeth yng Ngalilea, sydd, i bob pwrpas, yn gorffen mewn methiant llwyr (66). Dyma grynhoi yn awr un o brif themâu Ioan, sef bod y sawl sy'n amau a gwrthod Crist yn caledu eu calon, tra bo'r rhai sydd â ffydd ynddo yn tyfu yn eu hadnabyddiaeth a'u dealltwriaeth ohono. O hyn ymlaen bydd yr elyniaeth at Iesu'n cynyddu, a'r groes yn bwrw'i chysgod fwyfwy ar ei lwybr. Yn wir ymhlith y Deuddeg eu hunain y mae un sy'n *ddiafol* (70) (y mae *diabolos* yn air a ddefnyddir am Satan). Ystyr mwyaf tebygol *Iscariot* yw gŵr o Cerioth yn Jwdea. Jwdas, felly, oedd yr unig un o'r Deuddeg nad oedd yn Galilead.

7: 1-9 Anghrediniaeth Brodyr Iesu

Gŵyl y Pebyll, neu fel y gelwid hi weithiau, yn syml, 'Yr Ŵyl', oedd y fwyaf poblogaidd o'r prif wyliau Iddewig. Fe'i cynhelid yn yr Hydref (diwedd Medi, dechrau Hydref, am yr wyth diwrnod rhwng 15 a 22 Tishri, sef y seithfed mis), ac yr oedd iddi dri amcan: (i) yr oedd yn ŵyl ddiolchgarwch am gynhaeaf aeddfed diwedd y flwyddyn – '... ar ôl ichwi gasglu cynnyrch y tir, cynhaliwch ŵyl i'r Arglwydd am saith diwrnod' (Lef. 23: 39);

(ii) yr oedd yn gyfle i ddwyn i gof y blynyddoedd hynny pan fu'r Hebreaid yn byw mewn pebyll yn ystod eu crwydriadau drwy'r diffeithwch; (iii) yr oedd yn adeg pan edrychid ymlaen yn eiddgar ac yn obeithiol at y flwyddyn newydd oedd ar fin dechrau. Llifai'r pererinion i mewn i ddinas Jerwsalem o bob rhan o'r wlad, a'r arferiad oedd iddynt hwy, ynghyd â thrigolion y ddinas, adeiladu pebyll neu dabernaclau o ganghennau palmwydd a helyg (cofier i Ioan ddatgan yn y Prolog i'r Gair *dabernaclu* yn ein plith, gw. 1: 14), iddynt gael byw ynddynt yn ystod cyfnod y dathlu, a chael blas ar ryddid a hwyl yn yr awyr agored. Roedd pawb yn mwynhau eu hunain yn llawen ac ysgafnfryd, gan ymhyfrydu yn y cyfle i gymdeithasu'n agored â'u cyd-bererinion. Yna, fe gyrhaeddid yr uchafbwynt ar yr wythfed dydd (*y dydd mawr* – gw. adn. 37), a oedd yn fath ar ddydd Saboth pryd y cynhelid cynhadledd ddwys, a phan oedd deddfau llymion y Saboth yn weithredol. 'Am saith diwrnod yr ydych i gyflwyno aberthau trwy dân i'r Arglwydd, ac ar yr wythfed diwrnod bydd gennych gymanfa sanctaidd, pan fyddwch yn cyflwyno aberth trwy dân i'r Arglwydd; dyma'r gymanfa derfynol, ac nid ydych i wneud unrhyw waith arferol' (Lef. 23: 36).

Â Gŵyl y Pebyll yn ymyl roedd Iesu'n *teithio o amgylch yng Ngalilea* (1). Y weinidogaeth grwydrol, beripatetig hon i fyny yn nhiriogaeth y gogledd yw diwedd rhan gyntaf stori cenhadaeth Iesu yn ôl adroddiad Ioan. Y mae brodyr Iesu'n ei gymell yn frwd i fynd i lawr i Jwdea er mwyn amlygu ei weithredoedd grymus yn gyhoeddus yn y fan honno i'w *ddisgyblion* (3) (mae'n amlwg nad y Deuddeg – a oedd eisoes yn dystion i wyrthiau Iesu – ond y cylch ehangach o'i ganlynwyr, o bosibl y rhai a oedd wedi ymatal rhag ei ddilyn, gw. 6: 66), ac i'r byd yn grwn. Negyddol yw ateb Iesu: ni ddaeth eto'r *amser* (6, 8) iddo wneud hyn, term, yn y cyd-destun hwn, sy'n golygu'r un peth â'r *awr* y sonia Iesu amdani gynifer o weithiau yn Efengyl Ioan, sef y foment apwyntiedig gan Dduw iddo farw, atgyfodi a chael ei ogoneddu. Hyd yn hyn ni chyrhaeddodd yr adeg dyngedfennol honno, ac o ganlyniad y mae Iesu'n ymwrthod ag argymhelliad ei frodyr, gan awgrymu eu bod hwythau'n teithio i'r ŵyl, tra'i fod yntau'n aros yng Ngalilea, lle roedd yn llawer mwy diogel iddo (sylwer ar adn. 1b). Ac felly y bu.

7: 10-24 Iesu yng Ngŵyl y Pebyll

Fodd bynnag, ymhen ychydig ddyddiau, tua hanner ffordd drwy gyfnod yr ŵyl, fe welir Iesu – yn gwbl groes i'r argraff gychwynnol a roddodd i'w frodyr – yn teithio i Jerwsalem yn *incognito*. Y daith gyfrinachol hon o Galilea i'r brifddinas yw'r peth agosaf yn Efengyl Ioan at yr hyn a elwir gan esbonwyr yn 'gyfrinach Feseianaidd' yn Efengyl Marc, er inni weld eisoes nad yw Ioan yn awgrymu dim o'r fath, ac yn dangos bod rhywrai'n sylweddoli o'r cychwyn yn deg mai Iesu yw'r Crist. Ond y tro hwn, mae Iesu'n teithio'n ddirgel.

Yn naturiol roedd ei elynion yn disgwyl iddo ymddangos yn Jerwsalem ar achlysur mor bwysig, ac maent yn chwilio'n ddyfal amdano (11). Mae'n amlwg fod ei absenoldeb tybiedig yn peri cryn ddryswch iddynt. Yn y cyfamser roedd ei bresenoldeb yn ennyn chwilfrydedd mawr ymhlith y bobl gyffredin, gyda rhywrai'n dyfalu ei fod yn ddyn da, rhinweddol, ac eraill yn amau ei fod yn llefaru twyll (12). Yr ensyniad ei fod yn *twyllo'r bobl* (12) oedd gwraidd cyhuddiad yr Iddewon yn ei erbyn, sef bod gŵr o gefndir mor ddinod yn cymryd arno mai ef oedd y Meseia. Wedi iddo fynd i mewn i'r deml, a dechrau dysgu (mae'n anodd peidio â sylwi yn y fan hon ar feiddgarwch Iesu), digwydd gwrthdaro pellach rhyngddo a'r Iddewon, a hwythau, erbyn hyn yn synhwyro pwy ydyw. Maent yn rhyfeddu bod rhywun a oedd heb dderbyn hyfforddiant ffurfiol wrth draed athro cydnabyddedig yn un o'r ysgolion swyddogol, â'r gallu ganddo i drin ei fater mewn ffordd mor feistrolgar.

Gallasai unrhyw un a fu'n ddisgybl mewn sefydliad rabinaidd

gadarnhau ei ddadleuon trwy gyfeirio at ffynonellau awdurdodedig. O ble, felly, y câi Iesu ei awdurdod? Myn Iesu nad lleisio ei farn bersonol a wna; eithr nid rabbi yn un o'r canolfannau dysg a oedd yn athro iddo, ond ei Dad. Ufuddhau i ewyllys yr hwn a'i *hanfonodd* (16) yw nod amgen ei ddysgeidiaeth. Bydd pwy bynnag sy'n gwneud ewyllys Duw yn gwybod yn iawn a yw geiriau Iesu o Dduw ai peidio. Mae Iesu'n dadlau â'i elynion ar eu tir eu hunain, ac yn codi cwestiwn enwaedu ar y Saboth. Roedd enwaedu yn ddefod Iddewig a âi yn ôl mor bell ag Abraham, ac fe'i gorchmynnwyd gan Moses. Fe'i cyflawnid ar yr wythfed dydd ar ôl y geni, ac os digwyddai fod y bachgen wedi ei eni ar y Saboth enwaedid arno ar y Saboth canlynol. Os oedd y ddeddf yn caniatáu enwaedu ar y Saboth (gwnaed eithriad yn y fan hon cyn belled â bod gwaharddiad ynglŷn â gweithio ar y Saboth yn y cwestiwn, gan fod enwaedu'n cael ei ystyried yn rhan o'r broses o berffeithio'r unigolyn – sef prif ddiben y Gyfraith – ac félly roedd yn gyfreithlon i'w weinyddu hyd yn oed ar y dydd o orffwys), sut oedd Iesu wedi troseddu wrth iddo iacháu dyn ar y dydd sanctaidd? Mae'n amlwg bod llawer wedi gwrthwynebu Iesu am yr *un weithred* (21) o iacháu'r dyn cloff wrth y pwll ar y Saboth (5: 1-18). Ond beth oedd sail eu beirniadaeth? Os oeddent yn barod i gyfiawnhau trin **rhan** o'r corff ar y Saboth, h.y. trwy enwaedu, sut y gallent herio Iesu am iacháu **holl** gorff dyn ar y Saboth? (23). Cyhuddir Iesu o fod â *chythraul* ynddo (20), sef ffordd y cyfnod o geisio esbonio salwch meddwl. Yn Marc mae Iesu'n cael ei gyhuddo o gydweithredu â Beelsebwl, pennaeth y cythreuliaid (Mc. 3: 22).

7: 25-31 Ai Hwn yw'r Meseia?

O ganlyniad i'w dystiolaeth gyhoeddus yn ystod yr ŵyl argyhoeddwyd rhywrai mai Iesu oedd y Meseia. Ond yr oedd un anhawster sylfaenol. Credid yn gyffredin (yr oedd y syniad i'w gael mewn llyfrau apocalyptaidd fel Llyfr Enoc, ac roedd y rabïaid wedi ei daenu ar led) y buasai'r Meseia, pan ddeuai, â'i darddiad a'i linach yn anhysbys; ond yr oedd cefndir teuluol Iesu'n wybyddus i bawb. Yn ei ateb i'r ymresymiad hwn mae Iesu'n cydnabod fod pawb, ar un olwg, yn gwybod o ble yr hanai, ond o'r ochr arall nid oedd neb yn gwybod. Y mae ei wir darddiad yn ddirgelwch gan nad yw'n dod ohono'i hun, ond yn hytrach oddi uchod, o Dduw, ac nid yw ei wrandawyr yn adnabod Duw. Roedd hwn yn ateb mentrus, oherwydd yr hyn a wnaeth Iesu unwaith eto oedd ei uniaethu ei hunan â Duw. Eto, ni lwyddodd ei elynion i'w ddal am nad oedd ei *awr* (30) wedi dod. Credodd llawer ynddo oherwydd yr *arwyddion* (31) (h.y. y gwyrthiau), ac eto nid oeddent yn deall arwyddocâd yr arwyddion am eu bod yn parhau i ofyn a fyddai'r Meseia yn gwneud mwy o arwyddion na Iesu, heb sylweddoli mai Iesu oedd y Meseia.

7: 32-36   Anfon Swyddogion i Ddal Iesu

Mae'r ymgais i restio Iesu yn awr ag awdurdod swyddogol yn tu ôl iddi. Eglura Iesu iddo ddod oddi wrth y Tad; bydd yn dychwelyd ato'n fuan, ac yn y fan honno bydd allan o gyrraedd ei elynion – gosodiad sydd yn fodd i ddrysu meddwl ei wrthwynebwyr ymhellach. Y term technegol am yr Iddewon hynny oedd *ar wasgar* (35) ymhlith y Cenhedloedd (*Groegiaid*, adn. 35 = y Cenhedloedd) oedd y *Diaspora*. Credai'r gelynion y byddai Iesu'n troi at Iddewon mewn gwledydd eraill, ac y byddai hefyd yn dysgu cenhedloedd eraill. Y mae *lle yr wyf fi, ni allwch chwi ddod* (36) yn cyfeirio at y fan lle y byddai Iesu yn dilyn ei ddyrchafael, h.y. gyda'r Tad.

7: 37-39   Ffrydiau o Ddŵr Bywiol

Yn ystod Gŵyl y Pebyll cynhelid defod arbennig o gludo dŵr mewn cawg aur o lyn Siloam i'w offrymu yn y deml. Tra digwyddai hyn byddai'r bobl yn llafarganu geiriau o lyfr Eseia, 'Am hynny mewn llawenydd y tynnwch ddŵr o ffynhonnau iachawdwriaeth' (12: 3). Fe wneid hyn ar bob un o'r saith dydd cyntaf, ond nid ar yr wythfed dydd, sef y dydd Saboth, y *dydd mawr* (37). Ar y dydd olaf hwn estynnodd Iesu wahoddiad i bawb o'r dyrfa ddod ato ef ac *yfed* (37), oherwydd ef – nid y seremoni Iddewig, na'r grefydd y mae'n ei chynrychioli – yw gwir ffynhonnell bywyd. Iesu, y Meseia, yw'r un sy'n diwallu a disychedu'n ysbrydol.

Nid yw'n gwbl eglur at bwy y cyfeiria *allan ohono ef* (38): gall olygu (i) y credadun, neu (ii) Iesu ei hunan, neu (iii) fe all gyfeirio at y ddau. Iesu yw'r dŵr bywiol, ac y mae pwy bynnag sy'n credu ynddo ef yn dod, yn ei dro, yn ffynhonnell bywyd i eraill. Digwydd hyn wrth i'r credadun dderbyn yr Ysbryd (oherwydd yr Ysbryd yw'r 'dŵr bywiol'), ond ni thywelltir yr Ysbryd hyd nes i Iesu farw a chael ei ogoneddu. Rhoddir yr argraff yn y testun bod Iesu'n dyfynnu o'r *Ysgrythur* (38), ond ni fu'n bosibl olrhain y geiriau i unrhyw ran benodol o'r Hen Destament.

7: 40-44   Ymraniad ymhlith y Dyrfa

Y mae gosodiad syfrdanol Iesu yn rhannu'r dyrfa, ac yn arwain at o leiaf dri ymateb, y ddau gyntaf yn gadarnhaol, a'r trydydd yn negyddol. Dywed rhywrai (i) mai ef yw'r *Proffwyd*, sef ffigwr allweddol yn y gobaith Meseianaidd; nid y Meseia ei hunan, ond, o bosibl, rhagredegydd iddo; eraill (ii) mai ef yw'r *Meseia*, sef yr anfonedig y buwyd yn disgwyl ei ddyfodiad ar hyd y canrifoedd; ond myn carfan arall (iii) na fedrai Iesu fod yn Feseia gan ei fod yn hanu o Galilea, tra bo pob proffwydoliaeth, yn ddieithriad (e.e. Mic. 5: 2), yn lleoli'r Meseia ym Methlehem, pentref Dafydd. Ni nodir hynny yn y testun, ond mae'n amlwg ei bod ym mwriad Ioan i ddangos bod dyfarniad y drydedd garfan yn ffeithiol anghywir, oherwydd wedi'r cyfan nid yng Ngalilea y ganed Iesu ond ym Methlehem, Jwdea. Wrth gwrs, ni ddeuai Iesu, mewn gwirionedd, o Nasareth na chwaith o Fethlehem ond oddi wrth y Tad.

7: 45-52 Anghrediniaeth y Llywodraethwyr

Y mae'r *swyddogion* (45), sef aelodau o heddlu'r deml a ddanfonwyd gan y Sanhedrin i restio Iesu (gw. 7: 32), yn dychwelyd yn waglaw gan gyffesu i'r gŵr yr oeddent i'w ddwyn yn gaeth gerbron y llys adael argraff gwbl arbennig, a thra annisgwyl, ar eu meddwl. Y mae'r pwyslais yn eu hymateb i'w osod ar y gair 'dyn': *Ni lefarodd dyn erioed fel hyn* (46), h.y. y mae dysgeidiaeth Iesu'n fwy na geiriau dynol; y maent i'w priodoli i Dduw ei hunan. Dyma'r ffaith sy'n egluro pam eu bod yn eiriau unigryw a digymar.

Chwyrn yw ymateb yr awdurdodau. Ni ellid disgwyl gwell gan dorf anllythrennog, ac anwybodus ym manion y Gyfraith (cyflwr y mae iddo ei ymhlygiadau difrifol a therfynol – *dan felltith y maent*, 49), nag iddi gael ei hudo gan genadwri'r gŵr o Nasareth, ond mae'n destun syndod bod aelodau o'r ddirprwyaeth swyddogol a ddanfonwyd gan y Sanhedrin hefyd wedi eu *twyllo* (47). Yn sicr nid yw neb o'r rhai sydd â gwir gymhwyster i farnu'r dyn (h.y. y Sadwceaid a'r Phariseaid) wedi cymryd eu camarwain ganddo.

Yn yr awyrgylch beirniadol hwn clywir llais Nicodemus, hynny am yr eildro yn naratif Ioan. Mae'n betrus a gochelgar: nid yw'n beiddio sôn am yr ymddiddan blaenorol a fu rhyngddo a Iesu (ymgom a adawodd argraff annileadwy, yn ddiau, ar ei feddwl), a'r cyfan a wna yw tynnu sylw at y ffaith fod y llys ei hunan mewn perygl o dorri'r ddeddf pe bai'n condemnio Iesu heb roi cyfle iddo i'w amddiffyn ei hunan. (Y mae *rhoi gwrandawiad iddo yn gyntaf*, 51, yn derm technegol, cyfreithiol am hawliau'r cyhuddedig.) Yr awgrym a geir yn *A wyt tithau hefyd yn dod o Galilea?* (52) yw na fyddai'n bosibl i neb amlygu unrhyw fath o gydymdeimlad â Iesu oni bai ei fod yntau hefyd yn dod o ogledd y wlad. Ni fyddai neb o Jwdea byth yn breuddwydio gwneud dim o'r fath! Y mae'r gosodiad *nad yw proffwyd byth yn codi o Galilea* (52) yn anghywir. Onid oedd Jona, mab Amittai, a fu'n proffwydo am estyniad tiriogaeth Israel yn ystod teyrnasiad Jeroboam II, yn hanu o Gath-heffer yng Ngalilea? (Gw. 2 Bren. 14: 25 a Jos. 19: 13.)

7:53 - 8:11 Y Wraig oedd wedi ei Dal mewn Godineb

Cadarnheir gan y copïau cynharaf o Efengyl Ioan nad oedd yr adran hon yn rhan o'r efengyl wreiddiol. Adroddir yr hanes yn null yr Efengylau Cyfolwg, a'r farn gyffredin yw ei fod yn perthyn i draddodiad cynnar iawn am weinidogaeth Iesu. Mae'r holl naws yn synoptaidd: (i) mae'r awdurdodau'n ceisio baglu Iesu ar gwestiynau megis torri'r Gyfraith a herio'r ddeddf Rufeinig, nad oedd yn caniatáu i'r Iddewon ddedfrydu neb i'r gosb eithaf – sylwer ar y cyfeiriad at *labyddio* (8: 5); (ii) mae Iesu'n cymryd plaid y wraig, yn ei gollwng yn rhydd, ac yn rhoi ail gyfle iddi. Mewn rhai llawysgrifau ychwanegir yr hanes at ddiwedd Efengyl Ioan, ac fe geir rhai enghreifftiau ohono'n cael ei osod i ddilyn Lc. 21: 38.

Yn ddiddorol ddigon, dyma'r unig gyfeiriad yn yr efengylau at Iesu'n ysgrifennu; yn y llwch neu'r tywod y digwyddodd hynny (felly nid oes dim o'i eiriau wedi goroesi), a hyd yn oed yn yr enghraifft hon ni ddywedir beth yn union a gofnodwyd ganddo. Ai'r un geiriau oeddent â'r rhai yr oedd newydd eu cyhoeddi ar lafar, sef y dyfyniad yn adn. 7?

8: 12-20 Iesu, Goleuni'r Byd

Mae'n dal yn Ŵyl y Pebyll, ac unwaith eto mae Iesu'n defnyddio un o ddefodau canolog yr ŵyl i egluro diben ei genhadaeth. Gyda'r nos, dros gyfnod yr ŵyl, roedd yn arferiad i oleuo canhwyllau a'u gosod ar bedwar canhwyllbren euraid yng Nghyntedd y Gwragedd yn y deml, symbolau o'r golofn dân a roddodd Duw i oleuo llwybr yr Hebreaid yn ystod oriau'r tywyllwch wrth iddynt deithio drwy'r anialwch (gw. Ex. 13: 21). Yn ôl pob hanes nid oedd rhan o'r deml nad oedd adlewyrchiad goleuni'r canhwyllau hyn i'w weld ynddi.

O bosibl, ar yr union foment strategol pan oedd y canhwyllau hyn yn cael eu cynnau, ac yntau ar y pryd yn *y trysordy* (20 – sef yr ystafell yng Nghyntedd y Gwragedd lle y gosodid y tair cist ar ddeg shoffar i'r bobl gael rhoi eu cyfraniadau ynddynt), cyhoedda Iesu mai ef yw *goleuni'r byd* (12). Felly, dyma wrthgyferbynnu eto, a'r tro hwn mewn modd hynod ddramatig, rhwng methiant y sefydliad crefyddol, ar un llaw, i ddwyn goleuni i galon dyn, a gallu Crist, ar y llaw arall, i wneud yr union beth hynny. Fel nad Ioan Fedyddiwr oedd *y gwir oleuni* (1: 8), nid y fflam ar ganwyllbrennau'r deml yw'r gwir oleuni ychwaith, ond Crist. Ef, fel y datganwyd eisoes yn y Prolog, yw'r *gwir oleuni* sydd *eisoes yn dod i'r byd* (1: 9).

Y mae'r rhan fwyaf o grefyddau'r byd yn defnyddio goleuni'n symbol am ddaioni a phurdeb, tra bo tywyllwch, bron yn ddieithriad, yn arwyddo drygioni. Ym mhennod agoriadol llyfr Genesis y mae goleuni'n greadigaeth arbennig Duw, y peth cyntaf, yn wir, iddo ei greu wrth iddo droi anhrefn (*chaos*) y bydysawd yn fyd trefnus (*cosmos*). Hefyd, yn yr Hen Destament, disgrifir y Gyfraith yn nhermau 'goleuni' (Salm 119: 105); y mae'n un o nodweddion yr oes Feseianaidd, e.e. 'Y bobl oedd yn rhodio mewn tywyllwch a welodd oleuni mawr' (Es. 9: 2); ac fe'i defnyddir hefyd yn symbol o lendid moesol ac ymarweddiad cywir. Yn yr Efengylau Cyfolwg dywed Iesu mai'r disgyblion yw 'goleuni'r byd' (Mth. 5: 14,16), ond yma Iesu ei hunan yw'r goleuni. Yn adn.12 y mae *canlyn* yn golygu ymddwyn; y mae *yn y tywyllwch* yn golygu bod heb arweiniad; ac y mae *goleuni'r bywyd*, sef Iesu ei hunan, yn disgrifio'r goleuni sy'n fywyd, ac sy'n rhoi bywyd (gan nad yw'n bosibl cael na chynnal bywyd heb oleuni).

Yn dilyn ceir cyfnewid dadleuon rhwng Iesu a'r Phariseaid sy'n brawf eglur bod yr elyniaeth tuag ato o du'r awdurdodau yn dwysáu. Mae'r Phariseaid yn ei gyhuddo o ddweud anwiredd am ei fod yn siarad yn unig amdano'i hun (13). Yn ei ateb yntau, y mae *myfi sydd yn tystiolaethu amdanaf fy hun* (14) fel pe bai'n gwrthddweud 5: 31, ond ychwanega Iesu bod un arall yn dwyn tystiolaeth iddo, sef y Tad (16). Yr oedd y Torah yn hawlio dau dyst (Num. 35: 30; Deut. 17: 6), ac os llwyddid i sicrhau dau dyst mewn achos, yna yr oedd rheidrwydd ar y llys i dderbyn eu tystiolaeth. Ni ellir dibynnu ar dystiolaeth dyn amdano'i hun, ond yn achos Iesu ategir ei eiriau gan dystiolaeth y Tad. Gŵyr Iesu iddo ddod oddi wrth Dduw, a'i fod yn dychwelyd at Dduw. Rhydd hyn iddo'r cymhwyster i *dystiolaethu* (17,18) ac i *farnu* (16). Y mae ei elynion yn barnu ar yr olwg allanol (15); os yw Iesu'n barnu o gwbl fe wna hynny gyda chefnogaeth a chymorth ei Dad, fel bod dau yn barnu. Felly, mae ei farn yn *ddilys* (16). Yr hyn sy'n peri anhawster yw'r ffaith nad yw'r Phariseaid yn ei adnabod yntau, nac yn adnabod ei Dad (19). Yn wir, pe baent yn ei adnabod ef, buasent yn adnabod y Tad hefyd (cymh. In. 14: 9).

8: 21-30   Lle'r Wyf Fi'n Mynd, Ni Allwch chwi Ddod

Mae'r ddadl yn parhau, a'i chynnwys yn mynd yn fwy difrifol fyth. Nid yw ei gynulleidfa'n sylweddoli nad y byd hwn yw tarddle bodolaeth Iesu (yn wahanol iddynt hwy daw ef *oddi uchod*, 23), ac y mae hyn yn arwain at gamddealltwriaeth enbyd ar eu rhan, nes iddynt dybio ei fod ar fin cyflawni hunanladdiad

(22). Y mae *oddi uchod* ac *oddi isod* (23) yn ddau briod-ddull sy'n chwarae rhan allweddol bwysig nid yn unig yng nghosmoleg Ioan ond hefyd yn ei Gristoleg a'i soterioleg, sef ei syniad am iachawdwriaeth. Trwyddynt cyferbynna rhwng y ddau ddimensiwn sy'n sefyll, yn ei feddwl yntau, yn llwyr wrthgyferbyniol i'w gilydd: nefoedd a daear; Duw a dyn; yr ysbrydol a'r materol; bara'r bywyd a'r bwyd sy'n darfod; yr hyn sy'n dragwyddol, a'r hyn a berthyn i'r byd hwn o amser, ac sydd dros dro a darfodedig. Pan enir dyn o'r newydd (3: 3); pan fedyddir ef â'r Ysbryd (3: 5); pan symudir ef o dywyllwch i oleuni (9: 7), trawsffurfir ef o'i fodolaeth *oddi isod* i fywyd newydd *oddi uchod*. Dyma graidd cenadwri Ioan am y bywyd newydd y mae'n bosibl i'r credadun ei feddiannu yng Nghrist, trwy ffydd.

8: 31-38 Bydd y Gwirionedd yn eich Rhyddhau

Thema'r adran hon yw bod Iesu'n rhyddhau dynion o'u caethiwed i bechod. Dywedodd Iesu wrth yr Iddewon a ddaeth i gredu ynddo: *Cewch wybod y gwirionedd, a bydd y gwirionedd yn eich rhyddhau* (32), ond y maent hwythau'n ymateb trwy ddweud na fuont erioed yn gaeth. Plant Abraham trwy Isaac, mab y wraig rydd (Sara) ydynt hwy; yn wahanol i ddisgynyddion Abraham trwy Ismael, mab y gaethferch Hagar, ni fuont hwy erioed yn gaethweision, ac felly ni all neb eu gwneud yn rhydd! Mae'n amlwg fan hyn eu bod yn dadlau am ryddid ysbrydol, oherwydd fe fu'r Iddewon, am o leiaf un cyfnod yn eu hanes, mewn caethiwed yn yr Aifft, a bu'n rhaid i Dduw drefnu ymwared iddynt trwy law Moses. Buont hefyd yn alltudion ym Mabilon.

Mae Iesu'n ateb nad ydynt yn rhydd, gan fod pwy bynnag sy'n pechu yn gaethwas i bechod (34). Tra bo statws mab oddi mewn i'r teulu yn gwbl ddiogel, ansicr iawn yw sefyllfa caethwas (35). A hwythau'n bechaduriaid (a dyna ydynt os ydynt yn gwrthod Crist), y mae'r Iddewon hefyd yn gaethweision, ac nid ydynt mwyach, mewn gwirionedd, yn *blant Abraham* (33, 37). Y maent wedi fforffedu eu rhyddid. Ac eto nid yw eu sefyllfa'n gwbl anobeithiol. Pan fyddai mab yn etifeddu eiddo ei dad, roedd ganddo'r hawl i ryddhau caethweision ei dad. Trwy'r groes bydd Iesu'n mynd i mewn i'w etifeddiaeth fel Mab Duw, ac mewn sefyllfa i ryddhau'r Iddewon o'u pechod. *Felly os yw'r Mab yn eich rhyddhau chwi, byddwch yn rhydd mewn gwirionedd* (36). Pwysleisia Iesu mai'r hyn yw gwir ryddid yw bod dyn mewn perthynas â Duw, yr union hawl y mae ef yn ei gynnig yn awr i ddynion. (Ynglŷn â'r ddadl uchod, cymh. Gal. 4: 21 – 5: 1.)

8: 39-47   Eich Tad y Diafol

Arweiniodd hyn at ail bwynt y ddadl. Os oedd yr Iddewon yn *blant i Abraham* (39) mewn gwirionedd, byddent yn ymdebygu i'w tad yn eu gweithredoedd, yn union fel y bydd mab, yn aml, yn debyg i'w dad nid yn unig o ran pryd a gwedd, ond hefyd o ran personoliaeth a chymeriad. Wrth geisio lladd person diniwed (unig drosedd Iesu, os oedd yn euog o unrhyw gam o gwbl, oedd ei fod yn dweud y gwir), y maent mor annhebyg i Abraham ag y mae'n bosibl i neb fod, oherwydd nid oedd Abraham erioed wedi dial ar ddyn a oedd yn llefaru'r gwir. Y mae lle i amau, felly, pwy yn union yw eu tad. Mae Iesu'n Fab Duw, ac o'r herwydd yn cyhoeddi gwirionedd Duw. Ond pwy yw eu tad hwy?

Mae'r Iddewon yn ateb yn ddirmygus. Y mae ganddynt dad, sef Duw (41), ac yn wahanol i Iesu nid ydynt wedi eu geni'n anghyfreithlon. *Nid plant puteindra mohonom ni* (41). Roedd yr enllib hwn, sef bod Iesu wedi ei eni o butain, yn gyffredin o tua 110 OC ymlaen, ac yn cael ei ddefnyddio mewn propaganda gwrth-Gristionogol. Yr hyn a wna'r awdur yn y fan hon, felly, yw cymryd y ddadl ffyrnig a oedd yn digwydd yn ei gyfnod ei hun (sef diwedd y ganrif gyntaf a dechrau'r ail) rhwng y synagog a'r eglwys, a'i dyddio'n ôl i amser Iesu ei hunan.

Unwaith eto cyhudda Iesu'r Iddewon o beidio â bod yn blant Duw. Pe baent yn blant iddo buasent yn caru ei Fab (42), sef yr hwn a ddanfonwyd gan Dduw i'r byd. Un wedi ei *anfon*(42) yw Iesu, ac nid oes ganddo unrhyw hawliau annibynnol ar Dduw (42b). Y ffaith amdani yw nad yw dynion yn barod i wrando ar neges Iesu am fod y genadwri a ymddiriedwyd iddo gan Dduw yn gwbl ddieithr iddynt (43). Na, eu tad hwy yw'r *diafol* (44); dyna pam y mae'r Iddewon yn ceisio lladd Iesu, ac yn barotach i gredu'r gau na'r gwir. Cyfeirir at *y diafol* (44) (o'r Groeg *diabolos* – sef y term a ddefnyddir yng Nghyfieithiad y Deg a Thrigain, y Septuagint, i drosi'r Hebraeg *Satan* – ac sy'n golygu 'cyhuddwr' neu 'athrodwr'), fel *lladdwr dynion oedd ef o'r cychwyn* (44). Yn union fel yr oedd Iesu o'r dechrau yn wirionedd ac yn Air bywiol, yr oedd y diafol, o'r dechrau, yn sarff gyfrwys. Yr oedd yn *lladdwr* yn yr ystyr ei fod wedi amddifadu dyn o fywyd tragwyddol, ac yn *un celwyddog* (*tad pob celwydd* yn wir) am iddo gamarwain Efa trwy ddweud anwiredd wrthi, h.y. am y pren gwaharddedig yng ngardd Eden (gw. Gen. 3: 4). Hyn fu ei hanes o'r cychwyn (y mae'r awdur yn dehongli Myth y Creu yn Gen. 3 mewn termau hanesyddol a llythrennol), ac felly y bu byth oddi ar hynny. Y mae dweud celwydd yn ail natur iddo, ac yn gwbl gyson â'i gymeriad.

8: 48-59 Cyn Geni Abraham, yr Wyf Fi

I'r Iddewon anghrediniol yr oedd hyn oll yn brawf pendant fod Iesu'n wallgof, ac fe'i cyhuddir ganddynt yn awr o fod yn *Samariad* ac o fod *â chythraul ynddo* (48). Mae'n amlwg fod y ddau derm hyn yn cael eu defnyddio'n gyffredin fel cyfystyron e.e. yn Act. 8 adroddir am y gau broffwyd Simon ei fod yn Samariad o ran cenedl, a'i fod hefyd yn ymylu ar wallgofrwydd. Nid dyma'r tro cyntaf yn Efengyl Ioan i Iesu gael ei gyhuddo o fod â chythraul ynddo (gw. 7: 20), ac fe ddigwydd eto yn 10: 20. Nid yw Iesu allan o'i bwyll, ond y mae, serch hynny, yn unigryw yn yr ystyr nad yw'n ceisio ei ogoniant ei hun (fel sydd mor nodweddiadol o'r natur ddynol), ond yn hytrach ogoniant Duw. Gogoneddu Duw yw holl amcan ei fywyd a'i waith. Yn ei dro y mae'r Tad yn ceisio gogoneddu ei Fab, gan ddwyn i farn pwy bynnag sy'n ei amharchu, ac sy'n anufuddhau iddo (50).

Yn sydyn, fel pe bai o fwriad yn torri ar draws rhediad y ddadl, mae Iesu'n cynnig i'w wrandawyr y rhodd o fywyd tragwyddol (51), ac y mae hyn yn arwain at adwaith chwyrn. Os oedd achos i gredu o'r blaen bod Iesu o'i gof, nid oes unrhyw amheuaeth yn awr! Bu'n rhaid i Abraham a'r proffwydi farw yn eu hamser, ond mae Iesu'n addo i bwy bynnag a dry ato mewn ffydd na *wêl hwnnw farwolaeth byth* (51). A yw o ddifrif yn cymryd arno'i hun ei fod yn fwy nag Abraham a'r proffwydi? A yw o'r farn y bydd ef, yn wahanol i wŷr mawr y genedl – y rhai a alwyd gan Dduw i gyflawni gwaith mawr yn ei enw – yn byw byth? Does dim amdani felly ond gofyn i Iesu yn blwmp ac yn blaen, *Pwy yr wyt ti'n dy gyfrif dy hun?* (53). Yr un yw'r ateb. Nid ceisio'i ogoniant ei hunan a wna Iesu trwy ei ddysgeidiaeth. Duw yn unig biau'r hawl i ogoneddu, a bydd y Tad yn gogoneddu'r Mab pan fydd yr amser yn addas iddo wneud hynny. Yn wahanol i'w wrandawyr y mae Iesu'n adnabod y Tad; pe bai'n gwadu hynny byddai'n gelwyddog, ac felly'n euog o'r un bai â'r Iddewon eu hunain (55).

Cythruddir y gwrandawyr ymhellach gan haeriad Iesu i Abraham weld *fy nydd i* (56), a llawenhau ynddo. Credai'r Iddewon bod Duw wedi datguddio i Abraham ddirgelion y dyfodol, ac iddo gael y fraint o ragweld dydd dyfodiad y Meseia. Ond y mae gosodiad o'r fath ar wefusau gŵr cymharol ifanc yn abswrd! Y mae nifer o ysgolheigion, o Irenaeus ymlaen, wedi dadlau ar sail y cyfeiriad at *hanner cant* (57), bod Iesu rhwng deugain a hanner cant oed yn ystod cyfnod ei weinidogaeth. Yr hyn a ddywed Luc yw ei fod 'tua deng mlwydd ar hugain ... ar ddechrau ei weinidogaeth' (Lc. 3: 23), sef yr oed arferol i rabbi ddechrau ar ei waith cyhoeddus. Yr oedd cyfrif yr Iddewon yn gwbl afresymol. Fel pob dyn meidrol bu Abraham fyw am dymor yn unig, ond y mae Iesu y tu hwnt i derfynau amser. Yr oedd yn bod o'r dechrau – cyn Abraham – a bydd yn goroesi am dragwyddoldeb. (Cofier am osodiad agoriadol y Prolog).

Unwaith eto mae Iesu'n dianc yn ddianaf rhag cynllwynion ei elynion, gan fynd *allan o'r deml* (59), yr union gysegr yr aeth i mewn iddo ar y dechrau, fel Meseia anfonedig Duw, i'w lanhau.

9: 1-12 Iacháu Dyn Dall o'i Enedigaeth (Y chweched arwydd)

Ym mhen. 8 datganodd Iesu mai ef yw *goleuni'r byd* (8: 12); ym mhen. 9, ynghyd ag ailadrodd y gosodiad (yn adn. 5), y mae Ioan yn ymdrin yn fanwl â'i arwyddocâd, gan ddangos mewn modd ymarferol a gweladwy i bawb a oedd yn dystion i'r digwyddiad, mai Iesu, mewn gwirionedd, yw'r gwir oleuni. Y mae rhoi ei olwg i'r dyn dall yn fwy na gwyrth iacháu: y mae'n 'arwydd' bod Iesu â'r gallu ganddo i agor llygaid ffydd, ac i arwain unigolion o dywyllwch anghrediniaeth i oleuni cred. Yn ddi-os, uchafbwynt y cyfan yw'r gyffes a groniclir yn adn. 38: *Yr wyf yn credu, Arglwydd*. Ac o bosibl, ceir ail uchafbwynt, sef y cwestiwn a briodolir i'r Phariseaid ar ddiwedd yr hanes, sef, *A ydym ni hefyd yn ddall?* (40). Yr hyn sydd i gyfrif am ddallineb y Phariseaid yw eu pechod. Oherwydd eu rhagfarnau ystyfnig maent yn gwrthod credu yn y goleuni, ac felly maent yn aros mewn tywyllwch.

Mae'n amlwg yn y fan hon i Ioan gasglu ei ddefnyddiau o fwy nag un ffynhonnell: (1) Yn gefndir i'r digwyddiad ceir y proffwydoliaethau hynny o'r Hen Destament sy'n pwysleisio mai un o nodweddion y dyddiau diwethaf, pan fydd Duw yn sefydlu barn ymysg y cenhedloedd, yw y bydd y deillion yn gweld drachefn, e.e. 'Yna fe agorir llygaid y deillion a chlustiau'r byddariaid; fe lama'r cloff fel hydd, fe gân tafod y mudan' (Es. 35: 5, 6a). Ystyr 'gweld' yn y cyd-destun hwn yw dod i adnabod Duw, a mwynhau perthynas ddilys ag ef (2). Prin y gellir darllen yr hanes hwn yn Ioan heb ddwyn i gof yr adroddiadau Synoptaidd am Iesu'n adfer golwg y dall, e.e. (i) y dyn dall ym Methsaida (Mc. 8: 22), a (ii) Bartimeus (Mc. 10: 46). Eithr yn wahanol i Ioan, nid yw'r Efengylau Cyfolwg byth yn sôn am Iesu'n ymdrin ag un oedd wedi ei eni'n ddall; Ioan yn unig sydd yn gwneud hynny. (3) Un o'r geiriau am 'fedydd' yn yr Eglwys Fore oedd 'goleuo', ac y mae rhai ysgolheigion megis Oscar Cullmann, yn awgrymu bod cyswllt rhwng cynnwys y bennod hon ag ordinhad y bedydd Cristionogol. Yn y cyfnod cynnar yr oedd y penderfyniad i ddod yn Gristion, a derbyn bedydd crediniol, yn cael ei ddarlunio yn nhermau dod i'r goleuni – proses a fyddai'n arwain, mewn llawer iawn o achosion (fel y gwnaeth yn yr achos arbennig hwn), at esgymundod o'r synagog Iddewig.

Cyflwynir yr hanes trwy gyfres o saith o olygfeydd, a'r cyfan wedi ei asio at ei gilydd yn hynod gelfydd gan yr awdur sy'n gymaint meistr ar grefft y storïwr. Dyma'r saith golygfa: 1. Yr ymdriniaeth ar y cysylltiad rhwng pechod a dioddefaint (1-5). 2. Iesu'n iacháu'r dyn dall trwy boeri ar lawr ac iro llygaid y dyn â'r clai (6-12). 3. Yr archwiliad gerbron y Phariseaid, a'r cyhuddiad bod Iesu'n euog o dorri'r Saboth (13-17). 4. Galw ar rieni'r dyn i roi tystiolaeth (18-23). 5. Holi'r dyn am yr eildro (24-34). 6. Cyffes y gŵr a dderbyniodd driniaeth (35-39). 7. Ymholiad y Phariseaid am eu cyflwr ysbrydol (40-41).

Fel yn hanes y claf wrth bwll Bethesda (5: 6), Iesu sy'n canfod y gŵr dall: *gwelodd Iesu ddyn dall o'i enedigaeth* (1). Yn wahanol i Bartimeus (a'i ymbil taer, 'Iesu, Fab Dafydd, trugarha wrthyf' – Mc. 10: 47), yn yr achos hwn nid yw'r dyn ei hunan yn gwneud unrhyw gais am wellhad, ond os nad yw ef mewn sefyllfa i 'weld' Iesu, ni all Iesu beidio â'i 'weld' yntau. Y mae pwysleisio'r ffaith mai Iesu yw cychwynnwr, neu symbylydd y broses iacháu, hynny yw, bod Iesu'n cynnig meddyginiaeth i'r claf cyn bod y truan hyd yn oed yn gofyn amdani, yn nodweddiadol o Efengyl Ioan. Y mae gras Duw yn cael ei estyn i ddyn cyn ei fod yntau'n ymwybodol o'i angen amdano.

Pwynt diwinyddol sydd gan Ioan wrth iddo ddweud bod y dyn wedi ei *eni* yn ddall (1, 2b). Ym marn yr awdur y mae'r ddynolryw, oherwydd effeithiau pechod arni, yn cael ei geni mewn cyflwr o ddallineb ysbrydol, ac nid oes a all ei goleuo ond gweinidogaeth feddyginiaethol Iesu. Dyma gadarnhau yr hyn a ddywedwyd eisoes wrth Nicodemus: 'Rhaid eich geni chwi drachefn' (3: 7). Hanfod iachawdwriaeth i Ioan, felly, yw symud o weld 'oddi isod' (yn fydol a materol) i weld 'oddi uchod', sef gweld byd a bywyd o berspectif Duw ei hunan. Y mae'r sawl nad ydynt yn gweld 'oddi uchod' – hyd yn oed os yw eu llygaid naturiol yn iach a'u golwg yn berffaith – yn ddall.

Roedd yr Iddew, wrth gwrs, yn priodoli dioddefaint i bechod o ryw fath, ac i'r gosb ddwyfol ar y pechod hwnnw, a hyn sydd i gyfrif am gwestiwn y disgyblion, *Rabbi, pwy a bechodd …'* (2). Os genid dyn â nam neu ddiffyg o ryw fath yr oedd yn dilyn, naill ai bod y person ei hunan wedi pechu yn y groth cyn ei eni (ac felly'n euog o bechod cynesgorol, *antenatal*), neu bod ei rieni wedi pechu, gan drosglwyddo effeithiau eu drwgweithred i'w plentyn. (Sonia Ex. 20: 5 am Dduw yn 'cosbi'r plant am ddrygioni'r tadau hyd y drydedd a'r bedwaredd genhedlaeth'.) Mae'n ffaith ddadlennol bod Iesu'n ymwrthod yn llwyr â'r ddau esboniad uchod. Nid euogrwydd ar ran y dioddefwr, na chwaith ar ran ei rieni, sydd i gyfrif am ddallineb y dyn, ond gan mai felly y ganed ef, o ganlyniad i ryw amherffeithrwydd corfforol, defnyddir ei gyflwr yn awr i amlygu *gweithredoedd Duw* (3). Cyfieithiad y Beibl Cymraeg yn y fan hon yw, '… fel yr amlygid gweithredoedd Duw ynddo ef', sy'n rhoi'r argraff gwbl gyfeiliornus fod y dyn wedi ei eni'n bwrpasol ddall er mwyn i allu Duw gael ei amlygu ynddo a thrwyddo! Mae cyfieithiad y BCN yn sicr yn rhagori, a dyma'r trosiad cywir o'r Groeg gwreiddiol. Mae Iesu, felly, yn gwneud dau beth: (i) y mae'n herio'r safbwynt uniongred a oedd yn cysylltu anghaffael corfforol â chosb Duw; (ii) y mae'n manteisio ar y cyfle i droi colled yn ennill, ac i ddangos bod tosturi Duw ar waith yn a thrwy ei weinidogaeth: os ganed y dyn yn ddall, rhoddir iddo gyfle yn awr i weld am y tro cyntaf yn ei fywyd.

Rhaid cyflawni'r wyrth yn ddioed. Mae'n dal yn *ddydd* (4), sef cyfnod bywyd a chenhadaeth Iesu ar y ddaear (tra bydd yntau ar y ddaear y mae'n *oleuni'r byd* (5), ac y mae'r tywyllwch yn cilio rhagddo), ond yn fuan fe ddaw'r *nos* (4) pan ddraddodir Iesu i ddwylo dynion pechadurus, a phan na fydd yn bosibl iddo barhau â'i waith. Mae'r groes yn nesáu, ac nid oes amser i'w golli. Ar unwaith, felly, mae Iesu'n poeri ar y ddaear, yn cymysgu'r poeryn â'r llwch a'r tywod, a'i osod ar lygaid y claf. Y mae Marc yn nodi dau achlysur pan yw Iesu'n defnyddio poeryn i gyflawni gwyrth (sef yn 7: 33 – Iacháu'r Dyn Mud a Byddar; ac yn 8: 23 – Iacháu'r Dyn Dall ym Methsaida), ond ni cheir unrhyw gyfeiriad at hyn yn efengylau Mathew a Luc, efallai am eu bod hwythau'n awyddus i danseilio'r goel gyffredin fod poeryn yn cynnwys rhinweddau iachusol. Yn Iesu ei hunan (a thrwy ymddiriedaeth y dioddefydd ynddo) y ceir iachâd; cyfryngau yn unig yw'r clai a'r poeryn. Fel y dengys Ioan, Iesu ei hunan yw'r goleuni sy'n agor llygaid y dall.

Yr oedd *pwll Siloam* (7) (ei ystyr yw 'anfonedig') i'r de o'r deml, ac yr oedd yn llenwi o ddŵr a lifai o Ffynnon y Forwyn. O bwll Siloam y tynnid dŵr i'w ddefnyddio'n seremonïol yng Ngŵyl y Pebyll. Daeth y dyn yn ôl o'r pwll wedi derbyn ei olwg. Y mae *y dyn a fyddai'n eistedd i gardota* (8) yn ein hatgoffa o fanylion stori Bartimeus.

9: 13-34 Y Phariseaid yn Archwilio'r Iachâd

Y mae'r bobl, gan gynnwys y cymdogion, yn mynd â'r dyn i'w holi gan y Phariseaid, ond y ffaith amdani yw mai Iesu sydd ar brawf, hynny am iddo haeru mai ef yw goleuni'r byd, a hefyd oherwydd ei agwedd at y Saboth. Am fod Iesu'n gweithio ar y Saboth ni all fod *o Dduw* (16a), ac eto roedd hi'n anodd deall sut y gallai dyn pechadurus gyflawni gweithred mor fawr (16b). Rhannwyd y Phariseaid: yn ôl John Marsh yr oeddent yn 'gweld yn ddwbl'. Wrth iddynt ofyn i'r dyn am ei farn yntau am Iesu, cânt yr ateb ei fod yn *Broffwyd* (17). Dengys Ioan y cynnydd amlwg yn ffydd y dyn a'i ddirnadaeth o berson Iesu: try **Y dyn a** *elwir Iesu* (11) yn **Proffwyd yw ef** (17); yn nes ymlaen nid oes ganddo amheuaeth fod *y dyn hwn o Dduw* (33); ac yna, yn glo i'r cyfan, pan ddaw Iesu o hyd iddo yn y deml, dywed *Yr wyf yn credu, **Arglwydd*** (38). Eithr y mae chwerwder y Phariseaid hefyd yn cynyddu (cymh. 16, 17, 24, 28, 34), ac yn y diwedd hwy, ac nid y dyn, sy'n ddall.

Am eu bod yn amau dilysrwydd y wyrth mae'r Phariseaid yn troi at rieni'r dyn, gan eu holi'n fanwl amdano. Mae'r fam a'r tad yn ddigon parod i gydnabod fod y bachgen yn fab iddynt, ond maent yn ymatal rhag cynnig esboniad ar y wyrth, hynny am fod arnynt *ofn yr Iddewon* (22), sef penderfyniad yr awdurdodau Iddewig i esgymuno o'r synagog unrhyw un a oedd yn cyffesu mai Iesu oedd y Crist (22). Trafodwyd eisoes yn y rhagarweiniad bwysigrwydd y cymal hwn lle mae cefndir a dyddiad ysgrifennu'r Bedwaredd Efengyl yn y cwestiwn (cymh. 16: 2). *Mae'n ddigon hen* (23): os oedd y bachgen yn 13 oed, neu'n hŷn na hynny, buasai llys yn barod i dderbyn ei dystiolaeth fel un ddilys.

Yn adn. 24-34 croesholir y dyn am yr eildro. Os yw Iesu'n bechadur, ac y mae'r ffaith iddo dorri'r Saboth yn profi hynny, sut y gallai weithio gwyrth mor fawr? Y mae ateb pendant y dyn – *Un peth a wn i: 'roeddwn i'n ddall, ac yn awr 'rwyf yn gweld* (25) – nid yn unig yn ddisgrifiad clasurol o hanfod troëdigaeth grefyddol, ond hefyd yn pwysleisio'r cyferbyniad llwyr rhwng goleuni a thywyllwch. Y mae yntau, erbyn hyn, wedi ei symud o un cyflwr i'r llall, ac y mae'r newid yn ddiymwad a syfrdanol.

Mae'r Iddewon yn digio fwyfwy, ac wrth iddynt barhau i holi'r dyn y mae yntau'n awgrymu'n gynnil eu bod hwythau, efallai, yn chwennych bod yn ddisgyblion i Iesu (27)! Fel y gellid disgwyl, y mae eu hadwaith yn un llym. Nid hwy ond y dyn y rhoddwyd iddo'i olwg oedd yn dilyn Iesu; maent hwythau'n ddisgyblion Moses (28). Cynrychiolant hwy y grefydd Iddewig, swyddogol (onid oedd Duw wedi ei ddatguddio'i hun i Moses, yn y berth yn llosgi heb ei difa, ac ar gopa mynydd Sinai? – 29), ond am Iesu, ni feddai yntau unrhyw awdurdod, gan na wyddai neb o ble, nac oddi wrth bwy, y deuai (29). Yn ei ateb, myn y dyn fod dadleuon y Phariseaid yn dangos anwybodaeth ryfedd ar eu rhan. Os yw Iesu'n meddu ar allu i droi dallineb yn olwg, a thywyllwch yn oleuni, dylai'r awdurdodau o bawb wybod o ble y mae'n dod. Cyflawnodd rywbeth na welwyd mo'i fath o'r blaen, rhywbeth cwbl ddigymar ac unigryw, sef bod dyn a oedd wedi ei *eni'n* ddall (32) (ar y ffaith honno y mae'r pwyslais), wedi derbyn ei olwg. O ganlyniad nid oes ond un dyfarniad posibl ynghylch Iesu: y mae *o Dduw* (33). Troi i ddefnyddio arfau gwawd a sarhad a wna'r Iddewon. Mae'r dyn yn bechadur, fel yr oedd ei ddallineb yn profi. Ar y- llaw arall y maent hwy'n gweld, ac nid ydynt yn bechaduriaid. A yw dyn a aned mewn pechod yn ddigon digywilydd i geisio eu dysgu hwy? Heb aros i ystyried ymhellach, *taflasant ef allan* (34), h.y. maent yn ei esgymuno o gymdeithas y synagog.

9: 35-41   Dallineb Ysbrydol

O glywed am dynged y dyn mae Iesu'n chwilio amdano, yn dod o hyd iddo, yn ei gefnogi, ac yn egluro iddo yr hyn oedd wedi digwydd yn ei brofiad:

1. Yn gyntaf mae Iesu'n ei holi ynghylch ei esgymundod o'r synagog. Ai'r rheswm am hynny yw'r ffaith fod ganddo ffydd wirioneddol ym Mab y Dyn? (Mae'n anodd gwybod beth yw ystyr y term *Mab y Dyn* (35b) yn y

cyd-destun hwn, ac mewn rhai llawysgrifau fe'i newidir i *Mab Duw*.) Ond na, ni all hynny fod yn esboniad oherwydd hyd yn hyn ni ddaeth y dyn i adnabod Iesu'n gywir (36). Felly mae Iesu'n datgelu iddo yn union pwy ydyw (cymh. hunan-ddatguddiad Iesu i'r wraig o Samaria, 4: 26), ac ar unwaith mae'r dyn yn cyffesu ffydd yn Iesu ac yn ymostwng o'i flaen mewn act o addoliad. Y mae *Arglwydd* (38) yn fynegiant o barch dwfn a gostyngedig.

2. Eglura Iesu bwrpas ei genhadaeth. Daeth i'r byd i farnu (39), ac y mae i'r farn hon ddwy wedd: (a) bydd y rhai a fydd yn barod i gyffesu eu dallineb yn dod i weld; (b) bydd y rhai sy'n ymffrostio yn eu gallu eu hunain i 'weld' yn colli eu golwg, am eu bod yn gwrthod goleuni Crist.

3. Cymhwysir y farn yn benodol at y Phariseaid. Oherwydd eu hunanhyder trahaus ni welant fod arnynt angen y goleuni sy'n llewyrchu cyn ddisgleiried yn y byd ym mherson Iesu. Daliant i holi'n rhyfygus, *A ydym ni hefyd yn ddall?* (40b), heb sylweddoli eu gwir gyflwr, na chydnabod eu gwir angen. Ni cheir dim tebyg i adn. 41 yn yr Efengylau Cyfolwg: y mae'r pwyslais ar amharod-rwydd y pechadur i dderbyn ei wir sefyllfa. Craidd argyfwng ysbrydol y Phariseaid yw eu bod yn dal i daeru eu bod yn gweld, a hwythau mewn gwirionedd yn ddall.

10: 1-6 Dameg Corlan y Defaid   10: 7-21 Iesu, y Bugail Da

Alegori'r Bugail a'r Defaid yw'r peth agosaf at ddameg yn Efengyl Ioan, er nad yw'n ddameg yn ystyr technegol y gair gan nad yw'n cynnwys stori. Er bod y BCN yn rhoi'r gair *dameg* yn adn.6, nid *parabole* a geir yn y Groeg gwreiddiol ond *paroimia*, sef dywediad cyfrin, cryptig. I fod yn fanwl gywir ni chynhwysir damhegion yn y Bedwaredd Efengyl fel yn yr Efengylau Cyfolwg. Yn yr enghraifft arbennig hon ni cheir disgrifiad o fugail penodol a'i waith mewn sefyllfa arbennig, ond, yn hytrach, nifer o sylwadau'n ymwneud â defaid a'u hamrywiol fugeiliaid.

Prin y gellir darllen yr anerchiad heb ei weld yng nghyddestun mwy nag un adran o'r Hen Destament. Yn Esec. 34 condemnir arweinwyr Israel am eu bod yn eu pesgi eu hunain gan adael i'r praidd newynu. Felly bydd Duw ei hunan yn porthi ei ddefaid ac yn peri iddynt orwedd mewn diogelwch: 'Byddaf yn gosod arnynt un bugail, fy ngwas Dafydd, a bydd ef yn gofalu amdanynt; ef fydd yn gofalu amdanynt, ac ef fydd eu bugail' (Esec. 34: 23). Yn sgil yr holl siomedigaethau gwleidyddol a ddaeth i'w rhan yng nghwrs y canrifoedd daeth pobl Israel i obeithio y buasai Duw ei hunan, ryw ddydd, yn dod yn Fugail-Frenin arnynt, gan arwain ei braidd i borfeydd breision. Dyma'r gobaith a fynegir yn Salm 23.

Nid llai pwysig yw'r cyfeiriadau Synoptaidd at Iesu'n tosturio wrth y dyrfa 'am eu bod fel defaid heb fugail' (Mc. 6: 34), a'r ffaith iddo ragweld (ar achlysur gwadiad Pedr) y gwasgerid y defaid am i'r bugail gael ei gipio oddi arnynt (Mc. 14: 27). Ac o'r braidd y gellir darllen cynnwys In. 10 heb gofio am Ddameg y Ddafad Golledig yn Lc. 15: 1-7, darn y gellir yn ddibetrus ei gynnwys ymhlith damhegion Iesu am fod ynddo ddrama – drama ag iddi gynllun, golygfeydd, datblygiad, uchafbwynt a chenadwri.

Yn In. 10: 1-6 y mae Iesu'n darlunio ffald ddefaid ag un drws yn mynd i mewn iddi. Ystyr llythrennol *corlan* (1) yw 'neuadd', sef clos caeëdig o flaen tŷ yn y dwyrain lle byddai defaid yn cael eu gyrru min nos. Cyferbynnir rhwng y gwir fugail (sy'n mynd i mewn drwy'r unig fynedfa; sydd â'i lais yn gyfarwydd i geidwad y drws ac i'r defaid fel ei gilydd; ac sy'n arwain y praidd i borfa gan *gerdded ar y blaen* (4), yn ôl arferiad bugeiliaid y dwyrain), a'r *lleidr* a'r *ysbeiliwr* sy'n *dringo i mewn rywle arall* (1) (hynny yw, yn anghyfreithlon a heb ganiatâd), ac sy'n tarfu ar lonyddwch y praidd. Enwir pump o gymeriadau – y lleidr, y dieithryn, y drysor, y gwas cyflog a'r bugail – ac y mae'r ddau gyntaf ohonynt â'u bryd ar beri niwed i'r defaid. A phrin y gellir ymddiried yn y gwas cyflogedig: pan yw'r *blaidd* (12) yn nesáu, ni wna yntau ond dianc yn ddiofal gan adael y defaid yn ysglyfaeth i'r ymosodwr. Pwy yn union yw'r tresmaswyr hyn?:

1. Yn ôl J.C. Fenton pwrpas yr alegori yw cyferbynnu rhwng perthynas y Phariseaid â'r dyrfa a'r berthynas a fodolai rhwng Iesu a'i ganlynwyr. Cymryd mantais o'r werin bobl a wnâi'r Phariseaid trwy eu gorfodi i ysgwyddo beichiau trymion y Gyfraith (nad oedd yn bosibl i neb lynu wrthynt yn ddifefl oherwydd eu manyldeb cymhleth), tra bo Iesu'n arwain ei ddilynwyr i ryddid a dedwyddwch meddwl.

2. Ym marn Alan Richardson y *lladron* yw rheolwyr y bobl, sef y Rhufeiniaid a'u pypedau di-asgwrn-cefn – yr archoffeiriaid, y Sadwceaid a'r Herodianiaid – oedd am orfodi pobl Israel i fod yn iswasanaethgar i Gesar, a'u hamddifadu o unrhyw obaith am annibyniaeth wleidyddol a chrefyddol. Yr oedd llawer o'r gwŷr amlwg hyn wedi cyrraedd safle o awdurdod trwy ddulliau amheus ac anghyfreithlon, ac ar ôl sylweddoli eu huchelgais yn meddwl dim am fuddiannau'r bobl, ond yn unig am eu hunan-les. Mae'n bosibl mai cyfeirio'n gynnil at y dringwyr cymdeithasol diegwyddor hyn a wna *dringo i mewn rywle arall* (1).

3. Mynn C.K. Barrett mai'r hyn a wna'r alegori yw adlewyrchu sefyllfa'r eglwysi yn niwedd y ganrif gyntaf. Bryd hynny yr oedd nifer luosog o ladron defaid yn ceisio ysbeilio'r praidd: sgismatigiaid, hereticiaid, gau Feseiaid, gau broffwydi, 'gwaredwyr' Helenistig (cyfeirir yn 1 In. 2: 18 at 'anghristiau lawer'), gau athrawon a oedd yn dysgu iachawdwriaeth ar wahân i Grist, a thrwy hynny'n peri gofid i aelodau'r eglwysi.

Mae'n bosibl fod y *lladron ac ysbeilwyr* (8) yn gyfuniad o rywrai o'r tri dosbarth uchod. Mae D. Moody Smith yn dadlau nad yw'n gwbl glir â phwy yn union o blith cyfoeswyr Iesu y dylid uniaethu'r sawl sy'n ymosod ar y praidd, ond nid yw hynny o dragwyddol bwys. Yr hyn sy'n bwysig yw'r ffaith fod y diadelloedd Cristnogol o dan fygythiad, a bod Iesu, Bugail mawr yr eglwys, yn amddiffyn ei bobl. Dyma'r ddau wirionedd sylfaenol a danlinellir gan yr alegori.

Â hyn oll yn y cefndir â Ioan yn ei flaen i grybwyll dau ymadrodd 'Myfi yw'. Defnyddir *drws* (7, 9) mewn dwy ffordd: yn adn. 2 y mae Iesu'n mynd i mewn drwy'r drws, ond yn adn. 7 ef ei hunan yw'r drws, ac yn adn. 9 ceir esboniad llawn ar ystyr hyn. Pwrpas y gyffelybiaeth yw pwysleisio bod Iesu'n ganolog ac yn ddigonol ar gyfer iachawdwriaeth dyn. Credai'r Iddewon mewn drws arbennig a oedd yn borth i'r nefoedd (gw. Gen. 28: 17); dengys Ioan mai Iesu yw'r ffordd at Dduw a'r fynedfa i fywyd tragwyddol. Diben ei ddyfodiad yw *er mwyn i ddynion gael bywyd* (10). Daeth i achub gweddill ffyddlon Israel (sef y *defaid* y cyfeirir atynt yn adn. 8 – y rhai na wrandawant ar berswâd y gau ddysgawdwyr, ac sy'n ufuddhau i'r Bugail dwyfol am eu bod yn adnabod ei lais), ac i roi iddynt fywyd tragwyddol, a'i roi, yn wir, nid iddynt hwy yn unig ond i bwy bynnag a dry ato mewn ffydd. (Mae'n rhaid mai at y gau athrawon y cyfeiria *pawb a ddaeth o'm blaen i* yn adn. 8; prin y gall gyfeirio at wŷr ffydd a phroffwydi'r gorffennol.) Digwydd yr ymadrodd *bywyd tragwyddol* yn gyson yn Efengyl Ioan, ac weithiau, fel yma yn adn.10, ceir y gair *bywyd* ar ei ben ei hun, heb yr ansoddair. Yr un ystyr sydd i'r ddau derm, sef y bywyd sydd yn eiddo Duw, bywyd yr oes a ddêl, bywyd diwedd yr amserau, a hwnnw, yn a thrwy Iesu, yn torri i mewn i fyd amser ac yn dod yn realiti ym mhrofiad y Cristion yn yr oes bresennol. Dyma fywyd *yn ei holl gyflawnder* (10), bywyd ystyrlon, cyflawn, gogoneddus sy'n rhodd Duw i'r sawl sy'n credu mai Iesu yw'r Gair a wnaethpwyd yn gnawd, ac sy'n eiddo iddo yn y byd hwn ac am dragwyddoldeb. Felly, ym mhrofiad y credadun y mae'r presennol a'r eschatolegol, y byd sydd ohoni yn awr a'r byd a ddaw, yn ymdoddi'n un.

Iesu hefyd yw'r *bugail da* (11), ac y mae pwyslais arbennig ar yr ansoddair (Groeg: *kalos*) sy'n diffinio'r enw. Fel y gwelwyd bu gan Israel fugeiliaid o fath tra gwahanol, y rhai oedd yn 'bwyta'r braster, yn gwisgo'r gwlân, yn lladd y pasgedig' ond heb 'ofalu am y praidd' (Esec. 34: 3). Dyma'r *lladron a'r ysbeilwyr ... a ddaeth o'm blaen i* (8). Mae Iesu, fodd bynnag, yn fugail *da*, hynny yw y mae'n foesol dda, a'i gymhellion yn bur ac anhunanol. Mae'n trin y praidd yn dyner a gofalus, ac mae'n gosod buddiannau'r defaid o flaen ei les personol.

Yn llenyddiaeth yr Hen Destament disgrifir Duw yn aml yn nhermau bugail. Ef yw Bugail Israel yn yr ystyr mai ef yw Brenin Israel (Salm 23: 1). Gelwir Moses hefyd yn fugail (Es. 63: 11), ond yn anad neb arall o blith arwyr y genedl, Dafydd yw'r bugail *par excellence*. Roedd yn fugail o ran galwedigaeth a phrofiad, a llawer tro bu'n rhaid iddo achub y ddafad o safnau'r llew a'r arth (1 Sam. 17: 35). Fel bugail ifanc achubodd ei genedl rhag y bygythiad o du'r Philistiaid. Cafodd yr hanesion hyn am wrhydri Dafydd eu gwau i mewn i draddodiad llenyddol Israel, a chofiwyd amdano fel y bugail-frenin delfrydol. Nid oedd yn syndod, felly, bod Israel yn disgwyl ymlaen yn eiddgar at weld oes aur yn gwawrio yn y dyfodol pan ymddangosai ail-Ddafydd i'w gwaredu a'u gwarchod.

Eithr y mae Iesu'n rhagori hyd yn oed ar Dafydd yn ei ymwneud â'r praidd, oherwydd y mae yntau (yn wahanol i'r *gwas cyflog*, adn. 12) yn aberthu ei fywyd er mwyn achub pobl Dduw. Nid digwydd rhoi ei einioes dros y praidd a wna Iesu, hynny am fod rhyw amgylchiad anarferol, annisgwyl, yn ei orfodi i fynd i'r eithaf er mwyn gwarchod ei eiddo. Ei barodrwydd i'w aberthu ei hunan yw ei gymhwyster pennaf fel arweinydd ei bobl. Y mae aberth yn rhan anhepgor o'i swyddogaeth, ac yn elfen allweddol o'i genhadaeth, a hynny o'r dechrau. Nid oes neb yn *dwyn* (18) ei einioes oddi arno: ef sy'n ei rhoi i lawr yn wirfoddol. Nid act o ferthyrdod oedd y groes, ond rhan o fwriad Duw o'r cychwyn cyntaf er achub y ddynolryw.

Y mae Iesu'n fwy na gwaredwr cenedl; y mae'n waredwr byd. Y mae ganddo *ddefaid eraill* (16), sef y Cenhedloedd, y mae'n rhaid iddo eu cyrchu – rhai na pherthynant i'r *gorlan hon* (16), sef y genedl Iddewig a'i rhagorfreintiau. Y canlyniad fydd ffurfio *un praidd* (16), ac *un bugail* yn warchodwr drosto. Ni ddaeth Iesu i sefydlu dwy eglwys, y naill yn Iddewig a'r llall yn genhedlig, ond yn hytrach un gymuned ffydd a fyddai'n fodd i ddatod pob canolfur gwahaniaeth, i gyfuno'r holl genhedloedd, ac i greu un ddynoliaeth newydd, unedig. Trwy genhadaeth yr eglwys newydd hon daw'r cenhedloedd ynghyd â'r Iddewon i mewn i'r gorlan, a phob cyfandir is y rhod o dan lywodraeth y Deyrnas.

Unwaith eto y mae geiriau Iesu'n achosi rhaniad ymhlith ei wrandawyr. Cyhuddir ef gan un garfan o fod yn wallgof ac o fod â chythraul ynddo (cymh. 7: 20; 8: 48, 52), tra bo eraill o'r farn na allai *cythraul ... agor llygaid y deillion* (21), gwaith a briodolir yn fynych yn yr Ysgrythurau i Dduw yn unig.

10: 22-42   Yr Iddewon yn Gwrthod Iesu

Enw arall ar *Ŵyl y Cysegru* (22) oedd Gŵyl y Goleuadau. Fe'i cynhaliwyd ym mis Rhagfyr (*yr oedd yn aeaf*, adn. 22), deufis a hanner ar ôl Gŵyl y Pebyll. Sefydlwyd yr ŵyl yn wreiddiol gan Jwdas Macabeus yn yr ail ganrif CC, i ddathlu glanhau'r deml ar ôl iddi gael ei halogi gan Antiochus Epiffanes. Ailgysegrwyd y deml yn y flwyddyn 165 CC.

Y mae Iesu'n cerdded yn *Nghloestr Solomon* (23), rhan hynafol iawn o'r deml ar ochr ddwyreiniol Cyntedd y Cenhedloedd. Arferai'r bobl gynnull yma i wrando ar eu hathrawon gan fod y cloestr yn rhoi cysgod iddynt, ac yn ôl tystiolaeth llyfr yr Actau (3: 11; 5: 12) roedd yn fan cyfarfod i'r Cristionogion cynnar.

Mae'r ddadl ynghylch person Iesu (a ddechreuodd yn Jerwsalem yn ystod Gŵyl y Pebyll – gw. pen. 7) yn parhau, a'r Iddewon y tro hwn yn gofyn i Iesu ddatgelu'n eglur ai ef yw'r Meseia ai peidio? Fe'u cadwodd *mewn ansicrwydd* (24) (Saesneg, *keep us in suspense*) yn ddigon hir, ac y maent yn pwyso arno i roi ateb pendant, un ffordd neu'r llall. Wrth gwrs, nid y rhai sy'n ddyfal chwilio'n ddidwyll am y gwirionedd sy'n gofyn y cwestiwn ond y gelynion sydd am ei rwydo a'i gornelu. Haerant nad yw Iesu wedi gwneud datganiad clir, diamwys ynglŷn â'i Feseiandod, ond etyb Iesu yr un mor gadarn, *Yr wyf wedi dweud wrthych, ac nid ydych yn credu* (25). Y gwir amdani oedd bod Iesu a'r Iddewon, ill dau, yn gywir: (i) hyd yma ni ddatganodd Iesu'n gyhoeddus mai ef oedd y Meseia ond yn unig wrth y wraig o Samaria; (ii) ar y llaw arall yr oedd ei weithredoedd yn dwyn tystiolaeth iddo, ac yr oedd sawl awgrym yn ei eiriau (i bwy bynnag oedd â chlust i wrando a chalon i gredu) ynghylch ei hunaniaeth.

Ceir yr allwedd i'r gyfrinach yn adn. 26: nid yw'r Iddewon yn credu am nad ydynt yn perthyn i *ddefaid* Iesu. Nid ar Iesu ond ar ei wrandawyr y mae'r bai am unrhyw amwysedd. Y mae ei ddefaid ef yn clywed ei lais ac yn ei ddilyn, ac y mae yntau'n rhoi iddynt fywyd tragwyddol. Rhodd y Tad, sy'n fwy na phawb, yw'r defaid, ac yn llaw'r Tad (29), a llaw Iesu (28), maent yn berffaith ddiogel: *nid ânt byth i ddistryw* (28), ac *ni all neb eu cipio* (28, 29). Ni all dim na neb wahanu'r Cristion oddi wrth gariad Duw yng Nghrist (cymh. Rhuf. 8: 39). Unwaith eto pwysleisir yr undod hanfodol, annatod, sydd rhwng Iesu a'r Tad: *Myfi a'r Tad, un ydym* (30, cymh. 5: 19-47), ac y mae'r ddau yn un, nid yn unig o ran perthynas ond hefyd o ran pwrpas a bwriad, yn yr ystyr bod gweithredoedd Iesu'n fynegiant o ewyllys Duw. Holl bwrpas cenhadaeth Iesu yw rhoi amcanion Duw ar waith.

Mae'r Iddewon yn sylweddoli bod Iesu'n ymhonni bod ganddo allu Duw, ac y maent yn ei gyhuddo o gabledd, sef trosedd a gosbid trwy labyddio. Mae Iesu'n holi am ba weithred dda y teflir cerrig ato, ac y mae ei gyhuddwyr yn egluro nad am unrhyw weithred fel y cyfryw y llabyddir ef ond *oherwydd dy fod ti, a thithau'n ddyn, yn dy wneud dy hun yn Dduw* (33), sef y diffiniad cyfreithiol o'r hyn yw cabledd. Nid yr hyn a wna yn gymaint â'r hyn a lefara yw sail y cyhuddiad yn ei erbyn.

Wrth ei amddiffyn ei hun mae Iesu'n dadlau mewn dull rabinaidd, gan ddyfynnu o Salm 82: 6. Yn yr Ysgrythur (nad oedd modd diddymu gair ohono yn ôl dysgeidiaeth yr ysgrifenyddion) gelwir y sawl y rhoddwyd y ddeddf iddynt ar fynydd Seinai yn *dduwiau* (34), yn rhinwedd y ffaith iddynt dderbyn rhodd mor werthfawr oddi ar law Duw ei hun. Os meddent hwythau ar yr hawl i gael eu galw'n dduwiau, cymaint mwy oedd hawl Iesu i gael ei alw'n *Fab Duw* (36) gan mai ef yw'r un y mae Duw wedi ei *gysegru (36)* (ei neilltuo i waith arbennig), a'i *anfon* i'r byd (yr oedd y proffwydi a'r apostolion wedi eu 'hanfon') i ddwyn ei fwriadau i ben. Os nad yw geiriau Iesu'n argyhoeddi fe ddylai ei weithredoedd, ac y mae ei wyrthiau'n ddigon o brawf fod y Mab yn un â'r Tad.

Mae Iesu'n dianc i'r tu draw i'r Iorddonen (40), i'r ardal lle bu Ioan yn gweinidogaethu. Dilynir Iesu gan dyrfa sylweddol, a daw llawer i gredu ynddo. Fe'u hargyhoeddwyd o un peth: er na chyflawnodd Ioan wyrthiau, yr oedd ei dystiolaeth am Iesu yn gywir, ac ar sail y dystiolaeth honno rhaid credu mai Iesu yw Mab Duw.

11: 1-16 **Marwolaeth Lasarus**

Dyma'r olaf a'r mwyaf aruthrol o'r saith arwydd a gofnodir gan Ioan. Gwelir bod datblygiad yn nhrefn yr arwyddion, o'r rhai cyntaf sy'n delio â phethau materol (dŵr, gwin), at y rhai sy'n delio â chyflyrau corfforol (afiechyd, cloffni, newyn a dallineb), i fyny at yr olaf a'r mwyaf syfrdanol ohonynt i gyd, sef rhoi bywyd i'r meirw. Y mae Ioan fel pe bai'n ategu gosodiad Paul mai'r 'gelyn olaf a ddileir yw angau' (1 Cor. 15: 26), gan ddangos, yn ei ffordd ddihafal ei hun, sut y mae gan Iesu'r trechaf ar y pennaf a'r mwyaf didostur o elynion dyn. Dyma, yn wir, uchafbwynt ei weinidogaeth.

Erys y cwestiwn sut yn union y mae dehongli'r arwydd. Y rheswm dros amau a yw Ioan yn cofnodi digwyddiad ffeithiol, hanesyddol yw nid yn unig am ei bod yn anodd i ni heddiw gredu'r stori, ond yn hytrach oherwydd yr anhawster i gysoni'r naratif â'r traddodiad Synoptaidd. Tra bo'r Efengylau Cyfolwg yn cofnodi honiad Iesu fod ganddo'r gallu i godi'r meirw (e.e. Mth. 11: 5), ac yn wir yn cynnwys enghreifftiau penodol o hynny'n digwydd, e.e. cyfodi merch Jairus, a mab y weddw o Nain, (y mae hefyd yn ddiddorol nodi y cyfeiria'r ddogfen apocryffaidd, *Efengyl Ddirgel Marc*, at Iesu'n dadebru dyn ifanc a fu farw, a bod yr adroddiad hwnnw'n cynnwys elfennau digon tebyg i'r hyn a geir yma yn Ioan), mae'n dal yn ffaith hynod ddyrys ac annisgwyl mai Ioan yn unig sy'n sôn am atgyfodi Lasarus, a bod y tair efengyl arall yn gwbl fud ynghylch y mater. Pam nad ydynt hwythau'n cynnwys adroddiad o'r wyrth fwyaf ohonynt i gyd – sef yr union weithred, yn ôl In. 11: 53, sy'n ysgogi penderfyniad yr awdurdodau i gael gwared ar Iesu? Awgrym yr Efengylau Cyfolwg, ar y llaw arall, yw mai glanhau'r deml sy'n peri bod y prif offeiriaid a'r ysgrifenyddion yn ymdynghedu i 'geisio ffordd i'w ladd ef' (Mc. 11: 18). Dywed D. Moody Smith: 'Y mae'n olygfa gwbl anarferol (11: 43-44), ac ni all rhywun beidio â gofyn i ba raddau yr oedd Ioan ei hunan yn credu ei fod yn croniclo digwyddiad hanesyddol. At hynny y mae'n destun syndod na wyddai'r efengylwyr eraill am y digwyddiad hwn, neu eu bod wedi dewis ei anwybyddu'. Y mae'n anodd iawn rhoi cyfrif boddhaol am absenoldeb y stori o'r efengylau Synoptaidd.

Ym marn nifer o esbonwyr yr hyn a wna Ioan yn y fan hon yw myfyrio uwchben y traddodiad Synoptaidd am Iesu'n codi'r meirw, gan roi i'r traddodiad hwnnw ei ddehongliad personol a diwinyddol ei hunan, a hynny nid trwy ddefnyddio gosodiadau haniaethol ond trwy adrodd stori (dylid cofio bod cyfleu gwirionedd trwy gyfrwng stori yn dechneg gyffredin gan awduron y cyfnod). Medd Alan Richardson: 'Dyma'r enghraifft glasur o'r modd y mae Ioan yn defnyddio ffurf naratif-hanes er mwyn tynnu sylw at yr hyn sy'n gorwedd y tu hwnt i hanes.' Adroddodd Luc ddameg o eiddo Iesu lle mae'n dweud na fyddai'r Iddewon yn edifarhau hyd yn oed pe bai rhywun yn cael ei atgyfodi o'r bedd (Lc. 16: 19-31). Dyma Ioan yn awr yn adrodd am rywun yn dychwelyd o'r tu draw i angau, ac unwaith eto nid yw'r Iddewon yn amlygu arwyddion edifeirwch. Mae'n arwyddocaol mai enw'r person yn nameg Luc, fel yn adroddiad Ioan, yw Lasarus.

Y mae'r gwirionedd a gyflwynir trwy gyfrwng yr adroddiad am gyfodi Lasarus yn llawer mwy nag unrhyw ddehongliad llythrennol o'r wyrth. Un yw Lasarus sy'n cael ei atgyfodi a'i fywhau'n ysbrydol. Ef yw archdeip y credadun a dderbyniodd y rhodd o fywyd tragwyddol, ac sydd wedi ei 'eni o'r newydd', ei eni o'r Ysbryd. Estynnwyd gwahoddiad i Nicodemus brofi o rym a rhyfeddod yr adeni hwn (In. 3: 5-7), ond bu yntau'n ofnus a phetrusgar gan ddewis ymgysgodi yn y gwyll yn hytrach na chaniatáu i oleuni Ysbryd Crist chwyldroi ei fywyd (er bod lle i gredu i Nicodemus hefyd ddod, cyn y diwedd, i olau dydd – gweler In. 19: 38-42). Eithr y mae Lasarus yn derbyn y rhodd o fywyd helaethach a gynigir iddo gan Iesu: rhoddir iddo orchymyn gan yr hwn sy'n 'arglwydd bywyd a marwolaeth', *Lasarus, tyrd allan* (43), ac y mae yntau'n ufuddhau, gan ddod i brofiad o'r bywyd sy'n fywyd yn wir.

Ynghyd â hyn y mae'r hanes yn cyfeirio ymlaen at atgyfodiad Iesu ei hunan. Y mae John Marsh yn dadlau na ddylid ystyried 'Cerdded ar y Dŵr' (6: 16-21) yn un o'r saith arwydd, ac mai'r seithfed arwydd – sef yr un terfynol, a'r grymusaf ohonynt i gyd – yw atgyfodiad Iesu ar y trydydd dydd. Un o brif amcanion Ioan yn ei efengyl yw dangos mai Iesu yw'r *atgyfodiad a'r bywyd* (25). Dygir tystiolaeth uniongyrchol i hynny ym mhen. 20

a 21; yma, ym mhen. 11, dangosir effaith y grym adnewyddol hwn ar fywyd a phrofiad y credadun. Dyma'r diweddglo i weinidogaeth gyhoeddus Iesu, ac mae'n briodol iawn fod y weinidogaeth honno'n terfynu, nid mewn dadl (fel a gafwyd yn yr ymdaro ffyrnig rhwng Iesu a'r Iddewon yn y penodau blaenorol), na chwaith gyda'r ffaith fod Lasarus wedi marw (fel pe bai hynny'n ddiwedd ar y cyfan), ond trwy roi prawf digamsyniol o allu Iesu i adfywhau'r meirw.

Y ffurf Roeg (*Lazaros*) ar yr enw Iddewig *Eleasar* (sef mab Aaron yn ôl Ex. 6: 25) yw *Lasarus* (1), a'i ystyr yw, 'y mae Duw yn cynorthwyo'. Ar wahân i'r cyfeiriad ato yn achres Iesu yn Mth. 1: 15, yr unig dro arall i'r enw ddigwydd yn y Testament Newydd yw yn nameg y Dyn Cyfoethog a Lasarus yn Lc. 16: 19-31. Roedd *Bethania* (1) gerllaw Mynydd yr Olewydd, tua milltir a hanner o Jerwsalem ar y ffordd i Jericho; i'r fan hon y neilltuai Iesu, wedi iddo ddioddef pwys a gwres y dydd, i dreulio'r nos adeg yr wythnos olaf.

Yn ddieithriad yn y Testament Newydd mae'r ddwy chwaer, Mair a Martha, yn cael eu henwi gyda'i gilydd. Yn Lc. 10: 38-42 y ceir yr unig gyfeiriad atynt yn yr Efengylau Cyfolwg; yno maent yn cyfarfod â Iesu wrth iddo fynd i mewn i ryw 'bentref' (nad enwir mohono), ymhell cyn iddo gyrraedd Jericho. Dywed Ioan mai Mair a *eneiniodd yr Arglwydd ag ennaint* (2), digwyddiad a leolir gan Luc yn nhŷ Simon y Pharisead (yn ystod cyfnod gweinidogaeth Galilea), a chan Marc a Mathew yn nhŷ Simon y Gwahanglwyfus (yn ystod yr wythnos olaf), ond nid ydynt yn enwi'r wraig. Ac yn wahanol i Ioan nid yw Marc yn dweud i'r wraig sychu traed Iesu â gwallt ei phen. Yr unig eglurhad am y gwahaniaethau hyn yw bod awduron yr efengylau'n pwyso ar fersiynau amrywiol o'r un traddodiad.

Pan ddaw'r newydd oddi wrth y chwiorydd bod Lasarus yn ddifrifol wael, a bod ei gyflwr yn peri gofid i'r teulu, y mae Iesu'n sicrhau ei ddisgyblion nad yw gwaeledd ei gyfaill *i fod yn angau* (4) iddo (h.y. ni bydd Lasarus farw'n derfynol), ac y try'r cyfan yn *ogoniant i Dduw* (4). Y mae C.K. Barrett yn dehongli'r *gogoniant* hwn yn nhermau gweithgarwch: yn a thrwy atgyfodiad Lasarus bydd Duw ei hunan ar waith ac yn amlygu ei awdurdod dros angau, a'i allu i ddwyn bywyd allan o farwolaeth. Ceir yr argraff yn adn. 6 bod Iesu'n oedi'n fwriadol cyn mynd i Fethania, ond nid yw *arhosodd am ddau ddiwrnod* (6) i'w gymryd, mewn unrhyw fodd, fel arwydd o ddiffyg cydymdeimlad ar ei ran neu o'i amharodrwydd i gynorthwyo. Awgrymir gan rai i Iesu aros hyd nes bod yr enaid wedi ymadael â'r corff (credai'r Iddew bod hynny'n digwydd dridiau ar ôl y farwolaeth), ond prin fod hynny'n argyhoeddi. Wrth gwrs, os oedd Iesu'n gohirio ei ymddangosiad ym Methania er mwyn i'r wyrth ddigwydd ar 'y trydydd dydd' (fel paratoad ar gyfer ei atgyfodiad ef ei hunan ar 'y trydydd dydd'), y mae hynny'n taflu goleuni newydd, llachar, ar y digwyddiad. Fel y mae Ioan yn defnyddio Porthi'r Pum Mil (pen. 6) i ymdrin ag ystyr diwinyddol sacrament y Swper Olaf, mae'n bosibl ei fod yn defnyddio atgyfodi Lasarus yn gyfle i ymdrin ag arwyddocâd atgyfodiad Iesu, ynghyd ag atgyfodiad y credadun yn a thrwy Iesu, i fywyd newydd. Y gwir amdani yw bod Iesu'n symud a gweithredu pan yw ef ei hunan yn teimlo ei bod yn amserol ac yn briodol iddo wneud hynny. Ar bob achlysur y mae ganddo'i 'awr' ragosodedig i gyflawni ei waith.

Fe gofir i Iesu ddianc i'r tu draw i'r Iorddonen (10: 40); felly bydd mynd i Fethania'n golygu ei fod yn dychwelyd i Jwdea, gan ei osod ei hunan yn agored, unwaith eto, i gynllwynion ei elynion. Fel y gellid disgwyl, nid oedd ei ddisgyblion yn cydsynio â'i fwriad, ac maent yn ceisio'i berswadio i aros yn yr unfan (8). Mae Iesu'n ateb trwy sôn am yr arferiad Iddewig o rannu oriau'r dydd yn ddeuddeg rhan gyfartal (9). Tra bo'r haul yn tywynnu y mae'n ddydd; yr un modd, tra bo Iesu, y goleuni dwyfol, yn bresennol yn y byd, y mae'n ddydd, ac nid oes perygl i neb faglu neu syrthio. Mae'n sefyllfa gwbl wahanol yn y nos, pan yw'r tywyllwch yn ei gwneud hi'n haws o lawer i lithro a chael niwed. O wrthod goleuni Crist, a dewis rhodio yn y tywyllwch, y mae pobl yn eu gosod eu hunain mewn sefyllfa lle mae'n hawdd iawn iddynt faglu a dioddef anffawd.

Yn adn. 11 disgrifir marwolaeth yn nhermau cwsg (y mae'r cyfaill Lasarus yn *huno*, a bwriad Iesu yw ei *ddeffro*), sef un o'r delweddau am farwolaeth a ddefnyddir fwy nag unwaith ar dudalennau'r Testament Newydd, ac a ddaeth, ymhen amser, yn gyffredin iawn mewn symbolaeth Gristionogol (gw. 1 Cor. 15: 51; 1 Thes. 4: 14). Yn achos Lasarus y mae'r disgyblion yn cam-gymeryd geiriau Iesu (enghraifft arall o rywrai'n camddehongli ei eiriau, a hynny'n arwain at yr angen am esboniad pellach ar y gosodiad gwreiddiol), gan dybio bod *huno* yn golygu ei fod yn dal yn fyw, a bod posibilrwydd iddo *wella* (12) heb unrhyw ymyrraeth allanol. Gorfodir Iesu, felly, i ddatgan yn bendant a diamwys fod *Lasarus wedi marw* (14). Nid gwanhau a gwaelu o ran ei gyflwr a wnaeth: bu farw, ac os yw i brofi bywyd unwaith eto bydd yn rhaid ei adfywhau. Mae Iesu'n *falch* (15) nad oedd yno ar yr aelwyd adeg cystudd Lasarus, oherwydd pe bai yno buasai'r ddwy chwaer yn sicr o fod wedi gofyn iddo iacháu eu brawd, a buasai hynny wedi amddifadu Iesu o'r cyfle i gyflawni'r wyrth fawr o'i atgyfodi. I Mair a Martha, fel i'r disgyblion, bydd bywhau Lasarus **ar ôl** iddo farw, yn rymusach act na'i adfer **cyn** iddo farw. A bydd dwyn Lasarus yn ôl i fywyd yn gymorth i'r disgyblion *gredu* (15).

Ar awgrym *Thomas* (16) fe â'r disgyblion gyda Iesu i Fethania. Ystyr *Didymus* (16) yw 'gefell'. Yn yr Efengylau Cyfolwg nid yw ond enw ar restr y Deuddeg, ond y mae iddo le llawer amlycach yn Efengyl Ioan, gw. 14: 5; 20: 24-29; 21: 2. Y mae'r enw a gafodd o fod yn amheuwr ac anghredadun (gw. 20: 27) yn gwneud cam dybryd ag ef. Dywed Ioan mai ef oedd y cyntaf i gyffesu duwdod y Crist atgyfodedig, ac yn ôl traddodiad ef oedd yr apostol a gludodd yr efengyl i Parthia ac i'r India, lle bu farw'n ferthyr. Priodolir rhai dogfennau apocalyptaidd iddo. Yn ôl *Actau Thomas* yn oedd yn efell i Iesu, ond ni chrybwyllir hynny yn yr efengylau. Yma, er ei fod yn ddiobaith, y mae'n dal yn deyrngar: *Gadewch i ninnau fynd hefyd i farw gydag ef* (16). Beth bynnag fydd tynged Iesu y mae Thomas yn barod i'w rhannu.

11: 17-27 Iesu, yr Atgyfodiad a'r Bywyd

Dyma Iesu, felly, yn cyrraedd aelwyd alarus Bethania. Yn wahanol i ferch Jairus nid newydd farw yr oedd Lasarus – bu yn ei fedd *ers pedwar diwrnod* (17) – ac felly roedd y wyrth yn un anhygoel. Y mae *llawer o Iddewon wedi dod … i'w cysuro* (19) yn rhoi darlun inni o'r hyn oedd yn digwydd (ac sy'n dal i ddigwydd) mewn cartref Iddewig adeg profedigaeth. Gosodai'r Iddew bwys mawr ar goffáu'r meirw ac ar gysuro'r galarus, a pheth digon cyffredin oedd cyflogi galarwyr proffesiynol i wylo ac ocheneidio'n uchel fel arwydd o barch i'r ymadawedig (gw. hefyd adn. 33 a 45). Nid oes raid inni gymryd fod y galarwyr a ddaeth at Martha a Mair o angenrheidrwydd yn annidwyll neu yn arwynebol. Roeddent yn dystion niwtral a diduedd i'r wyrth.

Pan aeth i gyfarfod â Iesu (tra bo Mair, yn gwbl nodweddiadol o'i phersonoliaeth, yn aros yn y tŷ yn synfyfyrio'n ddwys uwchben ymhlygiadau'r hyn oedd wedi digwydd) roedd Martha yn dal yn obeithiol: nid oedd yn rhy ddiweddar eto i Dduw drugarhau wrth ei brawd (22). Rhydd Iesu iddi sicrwydd y cyfodir ei brawd, ac fe â Martha yn ei blaen i sôn am *yr atgyfodiad ar y dydd olaf* (24). (Erbyn amser Iesu roedd dysgeidiaeth y Phariseaid am atgyfodiad cyffredinol, o leiaf i'r cyfiawn, yn gred gyffredin. Ni chredai'r Sadwceaid yn atgyfodiad y meirw, nac mewn bywyd y tu draw i angau, a dyma un o'r gwahaniaethau amlwg rhwng y ddwy sect.) Yn dilyn ceir y pumed o'r dywediadau 'Myfi yw', ac o bosibl y mwyaf ohonynt i gyd. Iesu yw'r *atgyfodiad a'r bywyd* (25): y mae ganddo fywyd ynddo'i hun, a'r hawl a'r awdurdod i rannu'r bywyd hwn ag eraill. Daw hyn i'r amlwg yn *y dydd olaf* (24), ond fe ddigwydd yn wir lle bynnag y mae Crist yn bresennol. Golyga hyn ddau beth: (i) bydd y credadun, fel Lasarus, yn cael byw drachefn ar ôl iddo farw, ond nid o angenrheidrwydd yn yr un ffordd â Lasarus; (ii) y mae'r Cristion eisoes wedi symud o farwolaeth i fywyd, ac ni bydd marw'n gorfforol yn ddiwedd ar y bywyd a ddaeth eisoes yn eiddo iddo yng Nghrist. Y mae credu yng Nghrist yn golygu meddu, yn awr, yn y presennol sydd ohoni, ar y bywyd a amlygir yn ei gyflawnder yn yr oes a ddêl.

Wrth ymateb i'r sylwadau syfrdanol hyn y mae Martha'n cyffesu ei ffydd yn Iesu, gan roi iddo dri theitl (gw. adn. 27), sef: (i) *Meseia* (cymh.1: 41); (ii) *Mab Duw* (cymh. I: 34); (iii) *yr Un sy'n dod i'r byd*, sef y term technegol a ddefnyddid gan yr Iddewon am y Meseia. Y mae cyffes Martha'n adleisio rhai o'r fformiwlâu Cristionogol cynnar, ac o bosibl yn adlewyrchu cred yr eglwys erbyn diwedd y ganrif gyntaf. Gyda hyn y mae'r ymgom rhwng Iesu a Martha'n dod i ben: prin fod rhagor i'w ddweud.

11: 28-37 Iesu'n Wylo

Mae'n amlwg bod Iesu wedi gwneud cais am gael gweld Mair – y Fair ddwys, fyfyrgar a *eisteddodd* (20) yn y tŷ tra bo'i chwaer yn rhedeg ar ffrwst i gyfarfod â Iesu. Nodweddir ymddygiad Mair nid yn unig gan fyfyrdod ond hefyd gan ufudd-dod (*cododd ar frys a mynd ato ef*, 29), ac ymostyngiad (*syrthiodd wrth ei draed*, 32 – yn union fel y gwnaeth Jairus, a'r wraig o Syroffenicia, wrth iddynt ymbil ar Iesu am gymorth). Gair arall yw *Athro* (28) am 'Rabbi', dau deitl cyffredin am Iesu yn yr efengylau. Efallai nad oedd Iesu wedi mynd *i mewn i'r pentref eto* (30) er mwyn osgoi cyhoeddusrwydd.

Wrth weld Mair a'r galarwyr eraill yn wylo cynhyrfir Iesu gan deimlad cyffelyb. Roedd y *teimlad dwys* (33, 38) yn cynnwys elfen o ddicter, efallai am fod yr Iddewon yn gwrthod credu ynddo (gw. adn. 37), ond hefyd am ei fod yn synhwyro ei fod ar fin cael ei osod mewn sefyllfa lle y gorfodid ef i gyflawni gwyrth, a thrwy hynny amlygu ei allu meseianaidd. Ac fe ŵyr yn iawn beth fydd goblygiadau hynny. Bydd y wyrth yn fodd i orchfygu marwolaeth, ond bydd yn arwain, maes o law, at farwolaeth y sawl sy'n ei chyflawni. Cyfeiria *ysbryd* (33) at gyflwr emosiynol Iesu, nid at yr Ysbryd Glân.

Yr unig dro arall y dywedir i Iesu *wylo* (35) yw adeg ei alarnad dros ddinas Jerwsalem (Lc. 19: 41). Yma, y mae ei gydymdeimlad dwfn â Mair a Martha, a'i ddagrau wrth fedd ei gyfaill, yn brawf o'r teimladau cryfion a feddai fel dyn. Fel y pwysleisiodd Ioan yn y Prolog, nid Duw yn 'cymryd arno', neu yn ffugio bod yn ddyn yw Iesu. Y mae'n Logos tragwyddol; y mae hefyd yn ddyn (yn ystyr cyflawnaf y gair hwnnw) sy'n brofiadol ei hunan o'r holl ystod o emosiynau a fedr lenwi'r galon ddynol, friw. Ac y mae sylw'r Iddewon, *Gwelwch gymaint yr oedd yn ei garu ef* (36) yn brawf pellach o'r un gwirionedd.

11: 38-44   **Galw Lasarus o'r Bedd** (Y seithfed arwydd)

O hyn ymlaen y mae Iesu yn cymryd meddiant o'r sefyllfa; ef, ac ef yn unig, sy'n feistr arni. Claddwyd Lasarus yn ôl arfer gyffredin yr Iddewon (mewn *ogof*, a *maen yn gorwedd ar ei thraws* i'w selio, naill ai o'i blaen neu ar ei phen, rhag i ladron neu anifeiliaid gwylltion ymyrryd â'r gladdfa), ac yn awr rhydd Iesu orchymyn i'r maen gael ei symud. Hyd yn oed yn awr nid yw Martha'n barod am y wyrth sydd ar fin digwydd; poeni a wna hithau am gyflwr y corff, am iddo fod yn gorwedd yn y bedd *ers pedwar diwrnod* (39). Os oedd yr enaid yn ymadael â'r corff ar ôl y trydydd dydd yn dilyn y farwolaeth, yr oedd Lasarus yn ddigamsyniol farw, a chyflwr ei gorff wedi dirywio'n sylweddol. Gellir casglu o hyn nad oedd ei gorff wedi ei eneinio cyn ei gladdu, ac felly mai claddedigaeth dyn tlawd a gafodd.

Y mae Iesu'n codi *ei lygaid i fyny* (41) yn null gweddi, nid er mwyn tynnu sylw ato'i hun ond er mwyn cydnabod ei ddibyniaeth lwyr ar y Tad a'i hanfonodd. Dilynir y weddi gan y gorchymyn, *Lasarus, tyrd allan* (43), sy'n fynegiant gweithredol ac ymarferol o'r geiriau a gofnodir yn 5: 25: 'Yn wir, yn wir, 'rwy'n dweud wrthych fod amser yn dod, *yn wir y mae yma eisoes*, pan fydd y meirw yn clywed llais Mab Duw, a'r rhai sy'n clywed yn cael bywyd'. Daeth Lasarus allan o'r bedd â'r llieiniau amdano, a chadach am ei wyneb. O dan orchudd angau yr oedd yn fyw, a rhaid oedd ei ryddhau o bopeth a oedd yn arwyddo marwolaeth ac yn sawru o'r bedd. Felly, daeth Lasarus yn fyw drachefn. Golygai hynny lawer mwy na dychwelyd unwaith yn rhagor i'r byd materol, corfforol (cyflwr na fyddai ynddo'i hunan yn 'fywyd' yn ôl yr ystyr a rydd Ioan i'r gair); yr oedd yn awr yn fyw yng Nghrist, a thrwy Grist, a chyda Christ, ac yn meddu ar fywyd na allai angau mwyach gyffwrdd ag ef. Ym mha ffordd bynnag y byddwn yn egluro atgyfodiad Lasarus dyma ffordd yr efengylydd o bortreadu, mewn termau hynod ddramatig a realistig, y ffaith fod Iesu'n rhoi bywyd i'r meirw. Mae'r cyfan yn fath o ddameg o'r hyn a wna Iesu, nid yn unig i Lasarus, ond i bawb sy'n credu ynddo.

11: 45-57 Y Cynllwyn i Ladd Iesu

Ceir yr argraff yn adn. 45 fod atgyfodiad Lasarus wedi digwydd yn llythrennol, a bod llawer o Iddewon wedi dod i arddel ffydd yn Iesu o ganlyniad i'r wyrth. Eithr fe aeth eraill ohonynt ymaith i roi adroddiad i'r Phariseaid, ac i gymell cymryd camau i roi taw arno. Doedd dim amdani, felly, ond cynnal cyfarfod brys o'r Sanhedrin, a rhoi sylw manwl i'r *arwyddion* (47). (Cofier i Iesu gael ei groeshoelio am iddo brofi trwy ei weithredoedd nerthol mai ef oedd y Meseia.) Cytuna aelodau'r llys bod atal gweithgarwch Iesu yn fater o flaenoriaeth, nid yn unig rhag i ychwaneg o bobl ddod i gredu ynddo, ond hefyd er mwyn atal y Rhufeiniaid rhag dinistrio'r deml a'r genedl, oherwydd pe digwyddai cynnwrf o achos Iesu ni fyddai Rhufain yn meddwl ddwywaith cyn ymyrryd.

Daeth *Caiaffas* (49) yn archoffeiriad yn y flwyddyn 15 OC,

hynny ar ôl i'r Rhufeiniaid ddiswyddo ei dad-yng-nghyfraith, Annas, ond gan fod y mwyaf teyrngar o blith yr Iddewon o'r farn nad oedd gan awdurdod seciwlar hawl i ymyrryd mewn materion crefyddol, yr oedd llawer ohonynt yn dal i ystyried Annas fel yr un oedd yn llenwi'r uchel swydd. Nid yw *yn archoffeiriad y flwyddyn honno* (49) yn golygu bod Ioan yn awgrymu bod swydd yr archoffeiriad yn cael ei hadnewyddu'n flynyddol. Ped awgrymai hynny buasai'n dangos anwybodaeth ddybryd ar ran yr awdur am faterion crefyddol a gwleidyddol yn Jerwsalem cyn 70 OC. Ystyr cywir y cymal yw: 'Caiaffas oedd yn archoffeiriad yn y flwyddyn y croeshoeliwyd Iesu'. Awgryma Caiaffas yn sinigaidd y buasai'n rheitiach bod un dyn yn marw na bod y genedl gyfan yn cael ei difa. Gweithreda ar yr egwyddor fod y genedl yn bwysicach na'r unigolyn, a'i bod i gael y flaenoriaeth arno. Efallai bod *Nid ydych chwi'n deall dim* (49) yn awgrymu nad oedd nifer o aelodau'r llys yn llawn sylweddoli hyd a lled yr argyfwng. O ddeall gwir natur y broblem rhaid oedd gweithredu ar unwaith i geisio'i datrys, hynny trwy ddelio yn y modd llymaf posibl â'r un oedd yn gyfrifol am ei chreu. Caiaffas, felly, sy'n cyhoeddi dedfryd y genedl Iddewig ar Iesu o Nasareth: *mantais i chwi fydd i un dyn farw dros y bobl* (50).

Y mae Ioan yn awr yn tynnu sylw'r darllenydd at yr eironi sylfaenol sydd yng ngeiriau Caiaffas. Credai'r Iddewon bod yr archoffeiriad, yn rhinwedd ei swydd, yn cael ei gynysgaeddu â'r gallu i *broffwydo* (51), ac yn wir y mae dedfryd Caiaffas gerbron y llys yn gyfystyr â phroffwydoliaeth, er nad yw yntau ei hunan yn sylweddoli hynny. Oherwydd fe fu Iesu *farw dros y bobl* (50), ac nid dros yr Iddewon yn unig ond dros bawb o bobl Dduw. Wrth groeshoelio Iesu yr oedd yr Iddewon (o ganlyniad i anogaeth Caiaffas) yn dod â'r union ddau beth yr oeddent yn ceisio eu hosgoi i rym, sef cenhadaeth fyd-eang yr Eglwys ar un llaw, a goresgyniad Jerwsalem gan y Rhufeiniaid (yn 70 OC) ar y llaw arall. Y term technegol am *plant Duw oedd ar wasgar* (52) yw *diaspora*, sef yr Iddewon a oedd yn byw mewn gwledydd estron y tu allan i'w cynefin. Yma, y mae'n cynnwys y Cenhedloedd yn ogystal. Trwy ei groes bydd Iesu'n casglu plant Duw ynghyd o bob cenedl drwy'r holl fyd. Dyma'r 'defaid eraill' (gw. 10: 16) y mae'n rhaid iddo eu cyrchu i mewn i'r gorlan.

Gan fod y sefyllfa mor beryglus y mae Iesu yn awr, er nad yw ei 'awr' wedi cyrraedd eto, yn dirwyn ei weinidogaeth gyhoeddus i ben, ac y mae'n neilltuo gyda'i ddisgyblion i *Effraim* (54), tref gaerog fechan yn y mynyddoedd i'r gogledd-ddwyrain o Jerwsalem. Yn y cyfamser rhoddir gorchymyn gan y Sanhedrin i bwy bynnag sydd â gwybodaeth am leoliad Iesu i hysbysu'r awdurdodau yn ddiymdroi.

12: 1-8   Yr Eneinio ym Methania
(Dylid dechrau darllen yn 11: 55)

Y bennod hon yw dechrau ail brif ran Efengyl Ioan, sef Hanes y Dioddefaint (er y dylid nodi bod rhai esbonwyr o'r farn mai ym mhen. 13 y mae Hanes y Dioddefaint yn dechrau). Y mae'r Pasg olaf (cymh. 2: 13 a 6: 4) yn awr yn agos. Y mae'r Iddewon yn gwneud y paratoadau arferol, ond oherwydd y cynllwynion swyddogol yn ei erbyn y mae amheuaeth a fydd Iesu'n ymddangos yn Jerwsalem ar yr ŵyl. Term technegol yw *aeth llawer i fyny* (55) am fynd ar bererindod i Jerwsalem i ddathlu un o'r prif wyliau.

Chwe diwrnod cyn y Pasg aeth Iesu i Fethania gan aros yn nhŷ Lasarus. Cafodd swper yno yng nghwmni ei gyfaill, a Martha'n gweini. Yn ôl Ioan yr oedd y Pasg yn dechrau ar y nos Wener ac felly mae'n rhaid bod Iesu wedi cyrraedd Bethania ar y Saboth blaenorol (sef ein Sadwrn ni). Ond roedd diwrnod yr Iddew yn dechrau am 6 y nos, a'r swper ym Methania yn digwydd, felly, ar yr adeg y byddem ni yn ei hystyried yn nos Wener. Y mae adroddiadau'r efengylau am yr eneinio yn amrywio'n fawr:

(a) Yn Marc y mae'n digwydd ym Methania, yn nhŷ Simon y gwahanglwyfus, gan wraig ddienw sy'n tywallt ennaint ar ben Iesu. Mae Mathew yn dilyn Marc.

(b) Yn Luc mae'n digwydd yn nhŷ Simon y Pharisead, rhywle yng Ngalilea. Nid enwir y wraig, ond dywedir ei bod yn bechadures. Mae'n gwlychu traed Iesu â'i dagrau, a'u sychu â gwallt ei phen. Yna y mae'n cusanu ei draed a'u hiro ag ennaint. Digwydd hyn yn gymharol gynnar yn ystod gweinidogaeth Iesu (gw. Lc. 7: 36-50).

(c) Ioan yw'r unig un sy'n enwi Mair. Y traed a eneinir ganddi, ac nid y pen. Roedd eneinio'r pen yn act o gwrteisi arferol tuag at westai ond roedd eneinio'r traed yn rhywbeth eithriadol, efallai'n arwydd o edifeirwch Mair oherwydd ei hanghrediniaeth pan ymwelodd Iesu â'i haelwyd ar ôl i Lasarus farw.

Y mae Marc a Ioan yn cyfeirio at werth yr ennaint, ac yn ei gysylltu â marwolaeth Iesu, ond nid yw Ioan yn sôn am y ffiol alabaster (cymh. Mc. 14: 3). Y mae *pwys* (3) yma yn cyfateb i ddeuddeg owns. Y Groeg am *nard pur* (3) yw *pistikos*, sef olew'r gneuen pistachio. Yr oedd y persawr yn llenwi'r tŷ cyfan, symbol, o bosibl, o'r byd yn grwn (cymh. geiriau Iesu yn Mc. 14: 9: '... pa le bynnag y pregethir yr Efengyl yn yr holl fyd adroddir hefyd yr hyn a wnaeth hon, er cof amdani'). Ioan yn unig sy'n cyfeirio at gŵyn Jwdas Iscariot; yn Mathew y mae pawb o'r disgyblion yn datgan anfodlonrwydd. Dywed Ioan i Jwdas ddod yn offeryn Satan (13: 27), ac felly nid oedd terfyn ar ei ddrygioni. Yma, ef yw trysorydd y Deuddeg; y mae hefyd yn *lleidr* (6) sy'n dwyn o'r god arian; ac ef hefyd, er ei fod yn *un o'i ddisgyblion* (4), sy'n *mynd i'w fradychu* (4). Y mae *rhoi i'r tlodion* (5) yn adlais clir o Mc. 14: 5.

Y mae'r ymadrodd *er mwyn iddi gadw'r ddefod* (7) yn aneglur. Beth yn union a gedwir ganddi? Gall olygu: (i) cadw'r ennaint oedd yn weddill; neu (ii) cadw'n fyw yr atgof am y weithred gostus ac eithriadol a gyflawnodd fel arwydd o'i theyrngarwch i Iesu; neu (iii) mae'n bosibl mai'r hyn a ddywedodd Iesu oedd, 'Rhowch lonydd iddi gyflawni'r ddefod fel act o baratoad ar gyfer fy nghladdu'. Os yw (iii) yn gywir y mae iddo arwyddocâd mawr. Yn Mc. nid yw'r gwragedd yn cael cyfle i eneinio corff Iesu cyn ei roi yn y bedd (roedd y Saboth yn ymyl, a chladdwyd Iesu ar frys mawr), ond yn In. (19: 38-42) y mae corff Iesu'n cael ei baratoi'n ofalus cyn ei roi i orwedd. Felly, ar un olwg nid oedd angen yr eneinio ym Methania. Yn ôl C.K. Barrett mae'n bosibl bod Ioan yn dehongli gweithred Mair nid yn nhermau eneinio Iesu ar gyfer dydd ei gladdedigaeth, ond yn hytrach i'w swydd fel Brenin Israel. Yr hyn a gynhaliwyd ym Methania, felly, oedd defod coroni Iesu. Mae'n hynod arwyddocaol bod Ioan yn newid trefn y digwyddiadau yn y fan hon, gan roi'r eneinio i flaenori'r ymdaith i mewn i'r ddinas. Hynny yw, yn ôl Ioan y mae Iesu'n mynd i mewn i ddinas Jerwsalem fel Brenin newydd ei goroni.

12: 9-11   Y Cynllwyn yn erbyn Lasarus

Yr oedd Lasarus, ynghyd â Iesu'n tynnu sylw'r cyhoedd, ac am fod llawer yn dod i gredu yn Iesu oherwydd iddo atgyfodi Lasarus, y mae'r prif offeiriaid yn cynllwynio i ladd y ddau.

12:12-19   Yr Ymdaith Fuddugoliaethus i mewn i Jerwsalem

Fel y gwelwyd eisoes pwysleisia Ioan y ffaith fod Iesu'n marchogaeth i mewn i Jerwsalem fel brenin; at y dyfyniad o Salm 118: 26 yn adn. 13 y mae'n ychwanegu'r ymadrodd *yn Frenin Israel*, gan ddehongli geiriau'r Salm mewn modd meseianaidd. Ynghyd â hyn y mae Ioan yn dangos nad oedd y disgyblion yn deall arwyddocâd y digwyddiad tan ar ôl i Iesu gael ei ogoneddu (16), a hynny trwy gymorth yr Ysbryd Glân.

Mae'r orymdaith yn ymdebygu i fynediad buddugoliaethus

Jwdas Macabeus i mewn i Jerwsalem yn 165 CC, pan ailgysegrwyd y deml yn dilyn yr halogi a fu arni o dan law'r Groegiaid. Defnyddiwyd *canghennau o'r palmwydd* (13) gyda changhennau o fyrtwydd a phren helyg i ffurfio'r *lalah* a chwifiwyd yn yr awyr yr un pryd â phan siantiwyd rhai o'r salmau (yn arbennig Salm 118), ac y bloeddiwyd *Hosanna* (13) (gair Hebraeg yn golygu 'Achub yn awr', ac yn gri am gymorth Duw). Term technegol am y Meseia yw *yr un sy'n dod* (13). Dyfyniad o Sech. 9: 9 a geir yn adn. 15, ond bod y geiriau agoriadol yn y testun gwreiddiol, 'Llawenha'n fawr', wedi eu newid gan Ioan i *Paid ag ofni*. Fel yr arferai nifer o'r proffwydi y mae Iesu yma'n cyflawni dameg weithredol (*enacted parable*) i gyflwyno'i neges, ac i egluro hanfodion ei deyrnas. Mae'n marchogaeth fel brenin, ond ni ddaw ar gefn march rhyfel ond ar ebol asyn, yn arwydd o'i fwriadau cymodlon. Nid yn unig y mae Ioan yn pwysleisio mai Iesu yw'r Brenin; eglura hefyd natur ei frenhiniaeth. Nid Meseia milwrol, rhyfelgar mo Iesu'r Meseia (fel y disgwyliai'r Selotiaid iddo fod) ond tywysog tangnefedd. Yr oedd yn arferiad gan frenin, pan ddeuai mewn heddwch ar ôl cael buddugoliaeth, i farchogaeth, weithiau, ar gefn asyn. Yr hyn sydd ar goll yn Ioan yw'r hanes am y ddau ddisgybl yn mynd i gyrchu'r anifail (gw. Mth. 21: 2).

Priodolir y derbyniad cyhoeddus, brwd a roddir i Iesu gan aelodau'r dorf i'r 'arwydd' o gyfodi Lasarus (17). Y mae sylw dirmygus, eiddigeddus y Phariseaid, *Aeth y byd i gyd ar ei ôl ef* (19), yn profi fod Iddewiaeth sefydliadol, gyfundrefnol, wedi ymwrthod yn derfynol erbyn hyn â chenadwri a chenhadaeth Iesu. Y mae *byd* (19) yn cynnwys y Cenhedloedd yn ogystal â'r Iddewon.

12: 20-26 Groegiaid yn Ceisio Iesu

Dyma brofi yn awr fod sylw'r Phariseaid yn adn. 19 yn gywir. Nid Iddewon oedd yn hyddysg yn yr iaith Roeg yw'r *Groegiaid* y cyfeirir atynt yma (20), ond Groegiaid o genedl a drodd yn broselytiaid, ac a fyddai â hawl ganddynt i fynd i mewn i'r deml cyn belled â Chyntedd y Cenhedloedd. Gan fod Iesu'n destun trafod gan bawb y maent hwythau hefyd yn mynegi awydd i gael cyfweliad ag ef, ac y maent yn troi at Philip i weithio'r bont, o bosibl am fod Philip ag enw Groeg ganddo.

Y mae hyn yn arwain at ddatganiad Iesu bod *yr awr wedi dod* (23), sef yr amser penodedig iddo gael ei groeshoelio a'i ogoneddu (trwy ei atgyfodiad a'i ddyrchafael). Nid oes dim yn digwydd yn ddamweiniol, trwy hap a damwain, yn adroddiad Ioan; y mae'r cyfan wedi ei bennu ymlaen llaw, yn unol ag ewyllys Duw. Dyma arwyddocâd yr *awr* y sonia Ioan gymaint amdani, ac y mae bob amser yn cynnwys dwy elfen sy'n ymddangos ar y dechrau yn wrthgyferbyniol i'w gilydd, ond sy'n gwbl gyson â threfn Duw, sef darostyngiad llwyr Iesu ar un llaw, a'i ddyrchafiad gogoneddus ar y llaw arall, trwy ei ddioddefaint a'i atgyfodiad.

Yn annisgwyl, y mae'r Groegiaid, sy'n cynrychioli'r byd cenhedlig, yn diflannu o'r stori yn syth ar ôl iddynt gael eu henwi, ac nid ydynt yn cyfarfod â Iesu. Y rheswm am hynny yw na all bendithion y Meseia gael eu hestyn i'r Cenhedloedd hyd nes i Iesu gael ei groeshoelio a'i ogoneddu. Fel na all y *gronyn gwenith* (24) ddwyn ffrwyth oni syrth i'r ddaear a marw, felly hefyd y mae'n rhaid i Iesu aberthu ei fywyd cyn y gall argyhoeddi'r byd cyfan o wirionedd ei genadwri. Ni ddaw ei neges yn efengyl gyffredinol heb ei fod ef yn gyntaf yn wynebu'r groes, a thrwy hynny sicrhau buddugoliaeth ei Deyrnas. Sôn am 'hedyn mwstard' a wna'r Efengylau Cyfolwg (Marc 4: 31; Luc 13: 19), ond nid mewn perthynas â pherson a marwolaeth Crist, ond yn hytrach er mwyn disgrifio cynnydd ei Deyrnas. Fe ellid dadlau mai'r un egwyddor sydd ym meddwl Ioan yn y fan hon, ond taw Iesu ei hunan (nid ei efengyl na'i achos) yw'r gronyn sy'n marw.

Y mae adn. 25-26 hefyd yn debyg iawn i ddeunydd

Synoptaidd (gweler Mth. 10: 39; Mc. 8: 34). Mae'r hyn sy'n wir am Iesu yr un mor wir am ei ddisgyblion. Er mwyn rhannu buddugoliaeth Iesu bydd yn rhaid iddynt yn gyntaf gyfranogi o'i farwolaeth, mewn hunanymwadiad ac ymgysegriad diamod. Pwy bynnag a wasanaetho Iesu, a'i aberthu ei hun drosto, fe'i hanrhydeddir gan y Tad (26).

12: 27-36   Rhaid i Fab y Dyn gael Ei Ddyrchafu

Dyma'r adran yn Efengyl Ioan sy'n cyfateb i'r adroddiadau Synoptaidd am ing Iesu yng Ngethsemane, ond y mae rhai gwahaniaethau amlwg. Yn Marc y mae Iesu'n gweddïo ar i'r 'awr' fynd heibio (14: 35), ond yn Ioan ni cheir yr awgrym lleiaf o betruster neu wendid. Ni ddaeth Iesu mor bell â hyn ar ei genhadaeth er mwyn troi ar ei sawdl ar y funud olaf. Er bod ei enaid mewn *cynnwrf* (27), dengys ei weddi yn hollol eglur beth yw ei fwriad, *O Dad, gogonedda dy enw* (28). Mae'r llais o'r nef (cymh. y llais a glywyd adeg y bedydd a'r gweddnewidiad) yn cyhoeddi bwriad Duw i ogoneddu ei enw ymhellach, trwy ei Fab; eisoes anrhydeddwyd enw Duw drwy'r arwyddion, yn awr fe'i hanrhydeddir drwy'r groes a'r atgyfodiad. Eglura Ioan nad ar Iesu yr oedd angen y llais, i'w nerthu a'i ysbrydoli, ond ar y dyrfa (30), sydd wedyn yn dehongli'r llef ddwyfol naill ai yn nhermau taran, neu lais angel. I'n hoes wyddonol, sinigaidd ni, y mae meddwl am Dduw yn siarad yn uniongyrchol o'r nefoedd, a dyn ar y ddaear yn clywed ei leferydd, yn codi rhai problemau dyrys. Yn anochel, y mae Ioan yn adleisio syniadau ei oes ei hun ynglŷn â'r moddion y mae Duw yn cyfathrebu â dynion.

Ynghyd â bod yn 'awr' gogoneddu enw Duw, a gogoneddu'r Mab, y mae'r 'awr' hefyd yn adeg o farn (31). Bydd y groes yn greisis i'r byd. Teitl Iddewig am y Diafol yw *Tywysog y byd hwn* (31), yr Un drwg a drodd y byd oddi wrth Dduw, ond a orchfygir yn awr wrth i Iesu, trwy rym ei groes, dynnu pawb ato'i hun. Y mae i *dyrchafu oddi ar y ddaear* (32) ystyr dwbl, ac amwysedd bwriadol. Golyga (i) dyrchafu'n llythrennol ac yn gorfforol ar groes, ond golyga hefyd (ii) dyrchafu mewn gogoniant. Awr camdrin a gwaradwyddo Iesu gan ddynion fydd awr ei fawrhau gan Dduw.

Ond roedd hyn yn arwain at broblem. Cymerai'r dyrfa 'dyrchafu' i olygu 'marw', ond yr oedd hen draddodiad, wedi ei wreiddio yn yr ysgrythur, na fyddai'r Meseia (a dyna yw ystyr *Mab y Dyn* yn adn. 34) yn marw byth, ac y byddai ei deyrnas yn un dragwyddol. Nid yw Iesu'n ateb yn uniongyrchol, ond fe â yn ei flaen i sôn am oleuni a thywyllwch, gan fod ei 'ddyrchafu' ef yn sicr o olygu un peth, sef bod yr amser a roddwyd i ddynion i edifarhau, ac i dderbyn y goleuni, yn prysur ddirwyn i ben. Term a fyddai'n gyfarwydd i Iddew a Groegwr fel ei gilydd *yw meibion y goleuni* (36). Cyfeiria at y rhai sy'n amlygu'r un rhinweddau â Iesu, ac sy'n ceisio gwireddu egwyddorion ei ddysgeidiaeth. Sonia Paul am 'bobl y goleuni' a 'phobl y dydd' (1 Thes. 5: 5).

12: 37-43   Anghrediniaeth yr Iddewon

Dyma ddod at ddiwedd gweinidogaeth gyhoeddus Iesu, ac i bob golwg y mae'n gorffen mewn methiant. Er i'r *arwyddion* (37) roi prawf sicr o'i ddwyfoldeb, gwrthodwyd Iesu gan y mwyafrif llethol o'r Iddewon. Dyma wireddu, felly, yr hyn a ddywedwyd ar y dechrau yn y Prolog (1: 11). Wrth gwrs nid oedd hyn yn annisgwyl gan i'r Ysgrythur ei ragfynegi. Ni allai llawer o'r Iddewon dderbyn mai Iesu oedd y Meseia gan i Dduw ddallu eu llygaid a thywyllu eu deall (gosodiad sy'n codi nifer o gwestiynau diwinyddol dyrys, os yw'n golygu bod Duw, o fwriad, yn ei gwneud hi'n anodd, onid yn amhosibl, i rywrai gredu) yn union fel yr oedd Eseia (a gafodd y fraint, yn ôl dirnadaeth Ioan, o gael cip ar ogoniant Iesu) wedi proffwydo. Daw'r dyfyniad yn adn. 40 o Es. 6: 9 a 10, a hwnnw yn adn. 38 o Es. 53: 1. Un o ganeuon y Gwas a geir yn Es. 53; a yw Ioan, felly, yn cymryd mai Iesu yw'r Gwas Dioddefus a ddarlunnir gan y proffwyd, ac yn yr ystyr hwnnw i'r proffwyd *weld* (rhagweld) *gogoniant Iesu* (41)? Er hyn, yr oedd rhywrai, hyd yn oed o blith yr awdurdodau (42), wedi dod i gredu, ond yn ofni arddel Iesu'n gyhoeddus rhag i'w tystiolaeth arwain at *eu torri allan o'r synagog* (42) – ymadrodd allweddol pan ddeuir i roi dyddiad i'r Bedwaredd Efengyl. Yr anhawster sylfaenol oedd bod rhywrai'n chwennych canmoliaeth dynion ar draul cymeradwyaeth Duw (43).

12: 44-50   Gair Iesu yn Barnu

Er yr hyn a ddatganwyd uchod, y rheswm sylfaenol am ddyfodiad Iesu i'r byd yw er mwyn ei oleuo, nid er mwyn dallu llygaid dynion ond er mwyn eu hagor. Ni ddaeth i farnu'r byd ond i'w achub (47). Yn Iesu daeth Duw ei hun atom, ac y mae Iesu'n llefaru geiriau'r Tad, nid ei eiriau ei hun. Y mae derbyn Iesu yn golygu derbyn y bywyd y mae Iesu ei hun yn ei fwynhau o ganlyniad i'w ufudd-dod i ewyllys y Tad. Y mae'r goleuni'n llewyrchu er mwyn iachawdwriaeth dyn, ond y mae hefyd yn rhannu pobl yn ddau ddosbarth, yn ôl eu hymateb iddo.

13: 1-20   Golchi Traed y Disgyblion

Y mae rhai esbonwyr yn awgrymu mai yn y fan hon y ceir y dechrau i ail ran Efengyl Ioan, fel bo ail ran gweinidogaeth Iesu'n cychwyn, nid gyda'r orymdaith i mewn i Jerwsalem (fel yn yr Efengylau Cyfolwg), ond gyda'r Swper Olaf. Gwelir hefyd bod gwahaniaethau sylfaenol rhwng Ioan a'r efengylau eraill ar gwestiwn dyddiad a natur y Swper. Yn ôl Ioan cynhelir y wledd y noson cyn y Pasg (dywed yn eglur ddigon, *Ar drothwy gŵyl y Pasg...*, adn. 1), ac y mae rhai o'r anghysonderau yn yr adrodd-iad Synoptaidd (e.e. ni fyddai prawf wedi ei gynnal ar noson y

Pasg; ni fyddai'r disgyblion wedi cario arfau y noson honno (gweler Mc. 14: 43, 47); ni fyddai Simon o Cyrene wedi 'mynd heibio ar ei ffordd o'r wlad' (Mc. 15: 21) drannoeth y Pasg) fel pe baent yn cadarnhau hynny. Ar y llaw arall y mae nifer o'r manylion ynglŷn â'r wledd (ei hamseriad yn y nos; y ffaith fod y disgyblion yn cyd-orwedd; y cyfeiriad at y gwin a'r amrywiol fwydydd) yn awgrymu'r gryf mai er mwyn cyfranogi o wledd y Pasg (*Seder*) y cyfarfu Iesu a'i ddisgyblion ar nos Iau yr Wythnos Fawr. Cytuna'r pedair efengyl i'r Swper Olaf gael ei gynnal ar y nos Iau, ac i Iesu gael ei groeshoelio ar y dydd Gwener, ond pryd yn union oedd y Pasg y flwyddyn honno? Yn ôl Marc a Mathew yr oedd ar y nos Iau (sef dydd Gwener), ac felly roedd y Swper Olaf y noson honno yn wledd y Pasg; yn ôl Ioan, fodd bynnag, yr oedd y Pasg ar y nos Wener (sef dydd Sadwrn), ac felly, beth bynnag arall ydoedd, nid oedd y wledd yn yr oruwchystafell ar y nos Iau yn cyfateb i wledd y Pasg Iddewig. Ni lwyddwyd i gysoni'r gwahaniaethau hyn rhwng Ioan a'r efengylau eraill. Awgrymwyd gan rai i Ioan newid y ffeithiau hanesyddol yn fwriadol er mwyn iddynt gadarnhau ei amcanion diwinyddol. Yn yr achos arbennig hwn, y mae'n gosod y Pasg ar nos Wener (sef dydd Sadwrn), ac nid lle dylai fod ar nos Iau (sef dydd Gwener), er mwyn i Iesu, gwir Oen Duw (cofier am ddatganiad Ioan Fedyddiwr yn 1: 29), farw ar yr union adeg pan oedd ŵyn y Pasg yn cael eu haberthu yn y deml. Y mae Ioan yn 'addasu' dyddiad y Pasg er mwyn datgan mai Iesu, yn hytrach na'r ŵyn a aberthid yn y deml, yw'r Oen sydd yn tynnu ymaith bechodau y byd. Teg yw ychwanegu y bu tuedd ymhlith rhai ysgolheigion yn ddiweddar i roi llawer mwy o goel ar gywirdeb hanesyddol Ioan, ac i ystyried ei adroddiad ef yn fwy dibynadwy, o bosibl, na'r cyflwyniad Synoptaidd.

Ni chyfeiria Ioan at Iesu'n sefydlu Swper yr Arglwydd (cofier iddo ymdrin â'r Ewcharist ym mhen. 6), ond mae'n canolbwyntio ar weithred nad yw'r Efengylau Cyfolwg yn sôn gymaint ag unwaith amdani yn eu hadroddiad, sef Iesu'n golchi traed ei ddisgyblion. Megis y proffwydi gynt (e.e. Jeremeia'n torri'r llestr pridd, ac yn cario iau ar ei gefn yn arwydd o'r gaethglud yr âi Israel iddi'n fuan), y mae Iesu, yma eto (cymh. yr orymdaith i mewn i'r ddinas) yn cyflawni gweithred symbolaidd neu ddamhegol i yrru ei neges adref ac i hoelio sylw'r rhai oedd yn dystion iddi. Yn ôl C.K. Barrett y mae ystyr triphlyg i'r golchi traed: (i) Mae'n amlygu cariad Iesu at ei eiddo. Er mwyn ei ddisgyblion y mae Iesu'n ymgymryd â'r isaf a'r mwyaf diraddiol o orchwylion (gweithred na fyddai neb ond caethwas yn ei chyflawni fel arfer), yn arwydd, rhag blaen, o'r act fwy gostyngedig fyth y mae ar fin ei chyflawni, sef marw drostynt ar y groes. Y mae *fe'u carodd hyd yr eithaf* (1), yn golygu (a) i fyny i'r funud olaf; (b) yn ddiamod. (ii) Mae'n esiampl o weithred o wir gariad tuag at eraill, ac o hunanymwadiad llwyr (adn. 14, 15; cymh. Mc. 10: 45; Mth. 20: 28). (iii) Mae'n act o lanhau (cymh. bedydd) sy'n hanfodol er mwyn cael cymdeithas â Christ. Adroddir yr hanes o safbwynt llygad-dyst. Y mae'r gwesteion yn gorwedd ar lythau, a'u traed yn noeth, ac y mae Iesu'n symud yn eu plith fel gwas. Mae'n rhoi ei ddillad o'r neilltu ac yn ymwisgo fel caethwas er mwyn gwasanaethu ei ddisgyblion a'u gwneud yn lân. Wrth farw drannoeth bydd yn diosg ei wisg o gnawd ac yn glanhau ei eglwys. Fe â at bob disgybl yn ei dro (6), ac mae'n bosibl mai ar ôl hyn y buont yn dadlau ymysg ei gilydd pa un ohonynt oedd y pwysicaf (gw. Lc. 22: 24-30).

Y mae ymateb y disgyblion yn ddadlennol. Erbyn hyn y mae Jwdas Iscariot yn llaw Satan yn gyfan gwbl. Y mae Barrett yn cyfieithu adn. 2: 'Yr oedd y diafol eisoes wedi penderfynu y dylai Jwdas ei fradychu'. Offeryn yw Jwdas yn llaw yr Un Drwg; a ydoedd, felly, mewn sefyllfa i'w wrthwynebu? Ystyr *bradychu* (2) yw 'ei roi i fyny', 'ei drosglwyddo i ddwylo'i elynion', ac nid yw cyn gryfed â'r defnydd o'r gair heddiw. Protestio a wna Pedr nad yw gweithred ddiraddiol Iesu yn un briodol i'w Arglwydd ymgymryd â hi, ond wedi derbyn esboniad ar arwyddocâd y digwyddiad, a'i sicrhau y rhoddir iddo eglurhad llawnach *ar ôl hyn* (7) (h.y. yn dilyn y groes a'r atgyfodiad), mae'n gofyn i Iesu olchi'r cyfan o'i gorff (9). Nid yw *wedi ymolchi drosto* (10) yn rhwydd i'w egluro. Byddai gwestai yn golchi ei holl gorff cyn mynd i wledd, ac wedi cyrraedd y cwbl oedd ei angen oedd golchi ei draed. Yn y cyd-destun hwn mae a wnelo'r ymadrodd, yn fwyaf tebygol, â bedydd Cristionogol. Yn dilyn hyn nid oes unrhyw bwrpas i ragor o olchi (sylwer bod modd trosi *dim ond ei draed* (10) yn 'nid oes angen ymolchi eto' – gweler godre'r tudalen yn y BCN), gan fod y sawl sydd wedi ei lanhau unwaith gan Grist (h.y. wedi derbyn iachawdwriaeth) yn lân, unwaith ac am byth. Ar y llaw arall ni all unrhyw fesur o ddŵr lanhau Jwdas o'i bechod, sy'n awgrymu bod ei sefyllfa erbyn hyn, yn un gwbl anobeithiol (11).

Y mae'r hyn y mae Iesu newydd ei arddangos yn yr oruwchystafell, ac y bydd yn ei gyflawni ar fyrder ar y groes, yn unigryw, yn yr ystyr mai ef yn unig a all lanhau dynion i ymddangos gerbron Duw. Eto, disgwylir i'w ganlynwyr efelychu eu Harglwydd, nid o reidrwydd trwy olchi traed ei gilydd yn llythrennol, ond trwy gyflawni gwasanaeth gostyngedig a di-hunan pryd bynnag y cwyd y cyfle. Teitlau a roddwyd i Iesu gan ei ddisgyblion yw *Arglwydd* (Groeg: *Kurios*, term o barch; 'Iesu yw'r Arglwydd' oedd y gredo Gristionogol gynharaf), ac *Athro* (Rabbi); hyd yn oed pan yw Iesu'n ymagweddu fel caethwas fe ddeil i fod yn Arglwydd ac yn Athro i'w ganlynwyr. Ystyr *esiampl* (15) yw patrwm, nod i ymgyrraedd ato. Byddai disgybl Iddewig yn disgwyl cael golchi traed ei athro; y mae pwyslais Iesu ar y ffaith y dylai ei ddisgyblion ef olchi traed ei gilydd (14).

Yn adn. 16 eglurir y berthynas rhwng meistr a gwas, athro a disgybl, geiriau a gynhwysir gan Mathew yn ei adroddiad am Iesu'n danfon allan y Deuddeg ar eu taith genhadol (Mth. 10: 24, 25). Nid yw ystyr *Yr wyf fi'n gwybod pwy a ddewisais* (18) yn glir. Gall olygu, naill ai (i) bydd Jwdas yn bradychu Iesu er gwaethaf y ffaith i Iesu ei alw, neu (ii) nid oedd Iesu wedi dewis Jwdas fel y dewisodd y gweddill, ond y mae'r ffaith fod Jwdas yn aelod o'r cylch disgyblion yn fodd i gyflawni'r Ysgrythur. Y mae Iesu'n dyfynnu Salm 41: 9 – 'Y mae hyd yn oed fy nghyfaill agos, y bûm yn ymddiried ynddo, ac a fu'n bwyta wrth fy mwrdd, yn codi ei sawdl yn f'erbyn' – geiriau a ystyriwyd gan yr eglwys fore yn broffwydoliaeth o'r Hen Destament o frad Jwdas maes o law. Y mae hyn yn awr ar fin cael ei wireddu. Yn adn. 20 eglura Iesu yr hyn sy'n bosibl o ganlyniad i'r genhadaeth Gristionogol; wrth gyfarfod â disgybl (ystyr 'apostol' yw 'un wedi ei anfon', a chyfeiriad at hynny yw *un a anfonaf fi* yn adn. 20), daw person wyneb yn wyneb â Iesu; ac wrth gyfarfod â Iesu deuir i gyfarfyddiad â Duw, sef *yr hwn a'm hanfonodd i* (20).

13: 21-30 Iesu'n Rhagfynegi ei Fradychu

Yn yr adran hon ceir enghreifftiau ymarferol o'r hyn a ddywedwyd yn adn. 19: *'Yr wyf fi'n dweud wrthych yn awr cyn i'r peth ddigwydd...'* Yn ôl Ioan yr oedd Iesu'n meddu ar ragwybodaeth gyflawn a'r gallu i ragfynegi'n fanwl yr hyn oedd ar fin digwydd (sylwer ar y pwyslais ar y gair *gwybod* yn adn. 1 a 3), a gwelir hyn yn amlwg yn achos Jwdas yn ei fradychu, a Pedr yn gwadu pob adnabyddiaeth ohono. (Gellir cymharu hyn â rhagwybodaeth Iesu am Nathanael ym mhen. 1). Ysbryd dynol Iesu a gynhyrfir (21) – nid yr Ysbryd Glân; y mae Iesu'n adweithio yn yr un modd pan yw'n canfod Mair yn wylo ar ôl i Lasarus farw (11: 33).

Yn fersiwn Mathew o'r digwyddiad y mae Iesu'n nodi enw ei fradychwr yng ngŵydd gweddill y cwmni (gw. Mth. 26: 25), ac y mae hyn yn codi'r cwestiwn anodd pam na cheisiodd y disgyblion eraill rwystro Jwdas rhag cyflawni ei fwriad. Y mae Ioan yn ceisio goresgyn yr anhawster hwn trwy nodi mai wrth un o'r disgyblion yn unig y datgelodd Iesu'r gyfrinach, sef wrth *yr un yr oedd Iesu'n ei garu* (23). Dyma'r cyntaf o'r chwe chyfeiriad a geir yn ail ran Efengyl Ioan at yr un a elwir yn Ddisgybl Annwyl. Nid yw'r cymeriad hwn yn hysbys i awduron yr Efengylau Cyfolwg, ac erys y cwestiynau ynghylch pwy ydoedd, yn wir a oedd yn bod o gwbl fel ffigwr hanesyddol (h.y. ai creadigaeth unigryw, ddychmygol yr awdur ydoedd?) heb eu datrys. Nid yw'n sicr ei fod yn un o'r Deuddeg, er ei bod yn bwysig cofio yr awgrymir yn bendant yn yr Efengylau Cyfolwg nad oedd neb ond y Deuddeg yn bresennol gyda Iesu yn y Swper Olaf. Os mai'r un dyn ydyw â'r 'disgybl arall' (18: 15), yna nid oedd yn un o'r Deuddeg gan na fyddai gwerinwr o Galilea yn debygol o fod yn adnabyddus i'r archoffeiriad nac o dderbyn caniatâd i fynd i mewn i'w dŷ. Nid yw'r Bedwaredd Efengyl yn enwi'r Disgybl Annwyl. Yn draddodiadol fe'i cysylltwyd â Ioan, fab Sebedeus, ac (eto yn ôl traddodiad) awdur yr efengyl sy'n dwyn ei enw. Buasai ei gysylltiad â Phedr yn cadarnhau hyn. Awgrymir gan rai mai un o ddilynwyr Iesu o ddinas Jerwsalem ydoedd, un tebyg i Ioan Marc, ac mai ef a gyfansoddodd yr efengyl, neu o leiaf a gyfrannodd y defnydd i'r awdur ei hysgrifennu. Yr anhawster gyda'r ddamcaniaeth hon yw bod Ioan Marc, a Phedr gydag ef, yn cael eu cysylltu'n arferol â'r ail efengyl, ac nid y bedwaredd.

Dywedir am y disgybl hwn ei fod *yn nesaf ato ef wrth y bwrdd* (23). Yn ystod y pryd bwyd byddai pawb yn lledorwedd i'r chwith, gan adael y fraich dde yn rhydd. Byddai'r person a eisteddai i'r dde o'r gwesteiwr yn pwyso'i ben ar fynwes hwnnw, ac mewn sefyllfa, felly, i siarad yn gyfrinachol ag ef. Y mae *pwyso'n ôl ar fynwes* (25) yn idiom am fod yn agos iawn at rywun, ymadrodd tebyg i fod ym 'mynwes Abraham'. Awgrymir felly bod dealltwriaeth ysbrydol, arbennig, yn bodoli rhwng Iesu a'r Disgybl Annwyl. Mae'n ddiddorol nodi bod yr arfer hwn o ledorwedd yn un o nodweddion dathliadau'r Pasg, sy'n ein gorfodi i ofyn ai Marc, wedi'r cyfan, ac nid Ioan, sy'n gywir ynghylch dyddiad y Pasg y flwyddyn y bu farw Iesu, a bod y Swper Olaf mewn gwirionedd yn wledd y Pasg?

Mewn geiriau amwys, nad oedd neb arall o'r cwmni o gwmpas y bwrdd yn eu deall, y mae Iesu'n rhoi gorchymyn i Jwdas i fynd at ei waith yn ddiymdroi (adn. 27, 29). Meddiennir Jwdas yn awr yn llwyr gan Satan, ac wrth adael awyrgylch yr oruwchystafell dywed Ioan iddo fynd allan i'r *nos* (30). Mae'r symbolaeth yn amlwg; fel y gwelwyd eisoes y mae'r cyferbyniad rhwng goleuni a thywyllwch yn un o nodweddion canolog Efengyl Ioan (cymh. 1: 5; 3: 2, 19; 9: 4; 12: 35). Pe bai'n wledd y Pasg buasai Jwdas yn debygol o fod wedi aros hyd y diwedd.

13: 31-35 Y Gorchymyn Newydd

Y mae'r adran rhwng adn. 31 a 38 yn rhagarweiniad i ben. 14-16, ac i'r weddi ym mhen. 17, lle y datblygir yn llawn y themâu a nodir yn y fan hon. Mae'r naratif yn awr yn troi yn anerchiad.

Y mae'r *awr* (31), sef uchafbwynt bywyd a gweinidogaeth Iesu, y foment dyngedfennol y cafwyd sawl cyfeiriad ati eisoes yn nhestun yr efengyl, wedi cyrraedd. Yma y ceir cyfraniad arbennig Ioan i'r athrawiaeth Gristionogol am farwolaeth Iesu, ac y mae'r pwyslais yn ddigamsyniol Ioannaidd. Nid mewn gwarth a gwaradwydd y bu farw Iesu, a'i atgyfodiad y trydydd dydd yn fodd i adfer ei urddas a'i anrhydedd. Y mae'r stori gyfan, gan gynnwys dioddefiadau'r groes a'i harteithiau blin, yn gyfrwng gogoneddu Mab y Dyn. Ac yn y Mab y mae'r Tad hefyd yn cael ei ogoneddu. Bydd hyn yn digwydd yn ddiymdroi, *ar unwaith* (32), ac ni bydd rhaid disgwyl y *parowsia* i weld Iesu wedi ei ddyrchafu i'w ogoniant. Ond y mae gogoneddu'r Mab yn golygu y bydd yn rhaid iddo ymwahanu oddi wrth ei ddisgyblion: *Ni allwch chwi ddod lle'r wyf fi'n mynd* (33). Yn ei ddioddefaint bydd Iesu ar ei ben ei hun, ac ni bydd hyd yn oed y Deuddeg yn gallu ei ganlyn i ganol awr fawr ymrafael y groes.

Cyn ymadael rhydd Iesu i'w ddisgyblion *orchymyn newydd* (34), nad oedd, ar un olwg, yn newydd, gan i'r ddeddf, hithau, roi pwyslais ar gariad at eraill ('Ti a geri dy gymydog fel ti dy hun'), ac eto a oedd yn newydd yn yr ystyr bod eu cariad hwythau i ymdebygu i'r cariad hunan-aberthol yr oedd Iesu eisoes wedi ei ddangos tuag atynt, ac a fyddai yn awr, trwy ei groes, yn cael ei amlygu mewn modd cyflawn a digymar. Digwydd yr ymadrodd 'gorchymyn newydd' yn 1 In. 2: 7.

13: 36-38   Rhagfynegi Gwadiad Pedr

Wrth weld Iesu'n paratoi i ymadael y mae Pedr yn tyngu llw o ffyddlondeb iddo, hyd at angau. Gwyddai Iesu am wendid Pedr, ac nad oedd yn barod eto i wneud ymdynghediad o'r fath. Y mae'r pedair efengyl yn nodi i Iesu ragfynegi gwadiad Pedr, gyda Marc a Mathew yn ei leoli ar ôl y Swper, a Luc ac Ioan yn ystod y Swper. Ym mhob un efengyl y mae'n digwydd ar ôl i Jwdas fynd allan. Yr eironi yw nad Pedr sydd ar fin rhoi ei fywyd dros Iesu; Iesu sydd ar fin ei aberthu ei hun dros Pedr. Yn y diwedd aberthodd Pedr ei fywyd dros Grist (gw. 21: 19). Pwysleisir yma: (i) y posibilrwydd i bob Cristion wadu ei Arglwydd; (ii) yr erys o hyd obaith am adferiad.

14: 1-14   Iesu, y Ffordd at y Tad

Er nad yw Ioan yn cofnodi hanes sefydlu Swper yr Arglwydd, rhydd adroddiad inni am Iesu, yn awyrgylch dwys yr oruwchystafell yn Jerwsalem, ar y nos Iau cyn y Groglith (y noson a elwir yng nghalendr yr eglwys yn Nos Iau Cablyd), yn golchi traed ei ddisgyblion, yn rhoi gorchymyn newydd iddynt i garu ei gilydd, ac yna yn eu rhybuddio trwy gyfrwng nifer o ymgomion ynghylch yr hyn oedd ar fin digwydd – iddo ef, ac iddynt hwythau – a'u hysbysu o'r hyn a fyddai'n gysur ac yn galondid iddynt yn eu hadfyd. Yr enw arferol ar y sgyrsiau hyn, sef cynnwys pen. 14-16, yw'r Anerchiadau neu'r Ymddiddanion Ffarwel. Er nad oes rhaid eu derbyn fel adroddiad *verbatim* o union eiriau Iesu i'w ganlynwyr ar y noson frawychus honno cyn ei farwolaeth (hwyrach bod yr awdur wedi casglu ynghyd rannau o ddysgeidiaeth Iesu ar nifer o achlysuron gwahanol, ac iddo eu golygu'n ofalus er mwyn rhoi'r argraff i'r cyfan gael ei draddodi oddeutu bwrdd y Swper), prin fod lle i amau (er mai Ioan yw'r unig efengylydd i'w croniclo yn y ffurf y gwelir hwy yn y Bedwaredd Efengyl, ac er bod dylanwad myfyrdod mwy diweddar o eiddo'r eglwys i'w ganfod yn amlwg ddigon ar eu harddull a'u cynnwys) mai cynnyrch dychymyg yr awdur yw'r cyfan oll. Byddai nifer o ysgolheigion yn barod i ddadlau ein bod yn darganfod yma rai o'r rhannau pwysicaf o ddysgeidiaeth Iesu, a bod y themâu sydd mor amlwg yn ymwáu drwy'r penodau hyn yn greiddiol i'w genadwri. Myfyrdod yw'r Anerchiadau Ffarwel ar farwolaeth, atgyfodiad ac esgyniad Iesu, a hynny o safbwynt y pynciau canlynol: (1) Iesu'n ymadael ac yn dychwelyd; (2) y datguddiad o Dduw y Tad; (3) undod y Mab, a'r disgyblion ynddo ef, â'r Tad; (4) gweddi; (5) yr Ysbryd Glân; (6) ufudd-dod y credadun i Grist, mewn cariad. Ysgrifennir yr anerchiadau o safbwynt yr Eglwys a ddaeth, trwy arweiniad yr Ysbryd Glân, i amgyffred arwyddocâd y croeshoeliad, yr atgyfodiad a'r esgyniad – digwyddiadau nad oedd yn bosibl i'r disgyblion eu deall yn gywir nac yn gyflawn ar y pryd.

Er bod Iesu ar fin ymadael nid yw'r disgyblion i ganiatáu i neb na dim aflonyddu ar eu hysbryd. Ar un olwg y mae'r anogaeth *Peidiwch â gadael i ddim gynhyrfu'ch calon* (1) yn ymddangos yn amhriodol. Beth arall yr oedd disgwyl iddynt ei wneud ar noson mor galonrwygol? Ac onid yw Ioan newydd gyfeirio, yn y tair pennod flaenorol, at dri achlysur gwahanol pan yw ysbryd Iesu ei hunan yn cael ei gynhyrfu? (gw. 11: 33; 12: 27; 13: 21). Yr hyn a wna Ioan ar bob un o'r achlysuron hyn yw darlunio dynoliaeth Iesu; fe'i gwelir yn gŵyro i lawr o dan bwys gofidiau'r byd, ac o'r herwydd fe all gydymdeimlo â ninnau yn ein gwendid a'n diymadferthedd. Fodd bynnag, rhoddir i'r disgyblion yn awr adnoddau tra anghyffredin ac unigryw a'u galluoga i oresgyn eu hamgylchiadau – yr un grymusterau yn wir ag a brofodd Iesu wrth iddo wynebu gwewyr Gethsemane ac artaith y groes.

Er bod 'yr ydych yn credu yn Nuw, credwch ynof finnau hefyd' (1), sef yr hyn a geir yn Y Beibl Cymraeg, yn gyfieithiad dilys, y mae'r modd gorchmynnol yn achos y ddwy ferf yn rhagori ar y modd mynegol, ac yn cyfleu ystyr y gwreiddiol yn llawer gwell: *Credwch yn Nuw, a chredwch ynof finnau* (BCN). Er popeth a ddaw i'w rhan ni threchir hwy gan y sefyllfa flin y cânt eu hunain ynddi. Trech eu Harglwydd na phob storm. Fe â Iesu i baratoi lle iddynt. Gall y gair *monai*, a drosir yn y BC ac yn y BCN yn *trigfannau* (2), olygu hefyd man-aros, gwesty, gorsaf i ymorffwys ar y daith (*mansio* yn Lladin). Wrth reswm fe gyfeiria at y byd a ddaw, fel pe bai Iesu'n disgrifio'r nefoedd yn nhermau tŷ helaeth, niferus ei ystafelloedd, a lle ynddo i bawb. Ond nid oes rhaid dehongli *yn nhŷ fy Nhad* (2) yn unig yn nhermau'r oes dragwyddol (cymh. 8: 35), oherwydd fe all y *trigfannau* fod yn fannau aros i'r enaid yn y presennol, yn y byd hwn o amser. Daw'r enw Groeg *mone* o'r ferf *menein* sy'n golygu 'aros' (un o allweddeiriau Efengyl Ioan): y mae i bwy bynnag sy'n 'aros' yng Nghrist le ym mynwes Duw ynghanol holl dreialon a gofidiau'r byd. Yn y ddau gyfeiriad arall yn yr efengyl at *tŷ fy Nhad* y deml yn Jerwsalem a olygir, sef y man cyfarfod rhwng Duw a dyn o dan yr hen oruchwyliaeth. O hyn ymlaen Crist yw'r man lle cyferfydd Duw a dynion: trwy ei groes bydd yn *paratoi lle* (3) i bwy bynnag a gred ynddo i brofi cymdeithas â Duw, yn y byd hwn, ac am dragwyddoldeb. Rhannwyd y deml yn Jerwsalem yn nifer o gynteddoedd, a'r pwysicaf ohonynt yn waharddedig i'r mwyafrif o'r bobl, e.e. y gwragedd a'r Cenhedloedd. Yn y tŷ y mae Iesu'n ei baratoi y mae *llawer* o drigfannau (neu ystafelloedd), ac ni waherddir neb sy'n ewyllysio mynedfa. Ble bynnag y gosodir yr atalnod yn adn. 2 (cymh. yr adnod yn y testun ac yna'r darlleniad amgen yn y troednodyn), a sut bynnag y dehonglir y frawddeg, ai fel gosodiad ai fel cwestiwn, yr un yw'r ystyr: y mae addewidion Iesu am y bywyd y mae ef yn ei gynnig i ddynion yn rhai y gellir pwyso arnynt yn hyderus. Nid yw ef yn un i gamarwain neb ynghylch y materion mwyaf eu pwys.

Golyga ymadawiad Iesu ei fod hefyd yn mynd i ddychwelyd (3). Erbyn amser ysgrifennu'r efengyl (yn niwedd y ganrif gyntaf OC), yr oedd y gobaith am ailddyfodiad buan wedi ei chwalu bron yn llwyr, ac felly roedd angen ailddehongli'r athrawiaeth Gristionogol am y *parowsia*. Ateb Ioan i'r broblem yw ei bwyslais fod Iesu eisoes wedi dychwelyd trwy gyfrwng yr Ysbryd Glân. Eschatoleg gyflawnedig sydd gan Ioan: nid rhywbeth i edrych ymlaen ato yn niwedd yr amseroedd mo dychweliad Iesu; y mae eisoes wedi dychwelyd drwy ei Ysbryd, a thrwy'r Ysbryd hwnnw y mae ar waith yng nghalonnau ei ddisgyblion, ac yn y byd yn gyffredinol. Os na ddigwyddodd y *parowsia* (ailddyfodiad Iesu) yn ôl y disgwyl, fe ddisgynnodd y *paracletos* (yr Ysbryd Glân), a hynny, yn ôl Ioan, nid ar ŵyl y Pentecost (fel yn Act. 2) ond ar nos Sul y Pasg (gw. 20: 22).

Dylai'r disgyblion wybod i ble y mae Iesu'n mynd: oni ddywedodd wrthynt eisoes? (gw. 7: 33). Disgybl teyrngar yw Thomas sy'n cael anhawster yn fynych (ar gyfrif ei feddwl ymchwilgar, a'i duedd i ganolbwyntio'n unig ar 'y pethau a welir'), i ddeall ac i dderbyn geiriau Crist (cymh. 11: 16; 20: 24, 25; 21: 2). Mae'r ateb i'w gwestiwn yn syml: Iesu yw'r *ffordd* (6) i ddynion agosáu at Dduw; trwyddo ef y ceir mynediad at y Tad. Mae'r ymadrodd 'Myfi yw' yn adn. 6 yn cynnwys dau o eiriau mawr yr efengyl: *gwirionedd* a *bywyd*. Iesu yw'r gwirionedd a'r bywyd am mai ef yw'r ffordd at Dduw, yr hwn sydd, yn ei hanfod, yn wirionedd ac yn fywyd. Ni olyga *gwirionedd* yn y fan hon wybodaeth academaidd, ffeithiol-wyddonol, ond cymundeb â Duw, adnabyddiaeth o Dduw. Cyfeiria *bywyd* at rodd Crist o fywyd o ansawdd cwbl newydd i'r credadun, bywyd a fydd yn eiddo iddo yn ei gyflawnder yn yr oes a ddêl, ac sydd eisoes yn ei feddiant yn yr oes bresennol. Un yw'r Cristion sy'n dechrau byw y bywyd tragwyddol yn awr, yn y byd sydd ohoni.

Y mae Philip yn cynrychioli pawb, ym mhob oes ac ym mhob crefydd, sy'n ymchwilio am y gwir. Mae'n ceisio sicrwydd a phrawf pendant (8), heb sylweddoli fod yr ateb i'w gwestiwn yn sefyll o'i flaen. Nid ateb ar ffurf damcaniaeth neu ddyfaliad a geir yn yr efengyl, ond ateb trwy gyfrwng person. Os nad yw geiriau Iesu'n argyhoeddi Philip, fe ddylai ei weithredoedd, sef yr 'arwyddion' a gyflawnodd. Nid yw *rhai mwy* (12) yn golygu gwyrthiau mwy rhyfeddol neu rymusach; pwy allai gyflawni gwyrth fwy pwerus na chyfodi Lasarus? Yn dilyn esgyniad Iesu bydd ei Eglwys yn parhau â'i waith ar raddfa ehangach nag oedd yn bosibl i Iesu yn nyddiau ei gnawd, gan ei fod yntau, bryd hynny, wedi ei gyfyngu gan le ac amser. Yng ngrym yr Ysbryd bydd cenhadaeth yr Eglwys yn un fyd-eang, a'i gwaith dros y Deyrnas yn cynyddu'n syfrdanol. Cyfrinach llwyddiant yr Eglwys yw ei bod yn cadw mewn cyswllt agos a pharhaol â'i Harglwydd. Y mae gweddi Gristionogol yn cael ei hoffrymu i Dduw'r Tad, **yn enw'r** Mab (*yn fy enw i* = trwy fy awdurdod i), **o dan gyfarwyddyd** yr Ysbryd Glân. Atebir ein gweddïau yn unol ag ewyllys Duw (14).

14: 15-31 **Addo'r Ysbryd**

Dyma un o'r adrannau yn yr Anerchiadau Ffarwel (cymh. 16: 5-15), lle mae Iesu'n ymdrin yn fanwl â natur a gwaith yr Ysbryd Glân. Bydd Iesu'n gweddïo ar y Tad i ddanfon yr Ysbryd i'r disgyblion, iddo gael bod gyda hwy *am byth* (16). Ymhen dim amser bydd yn ofynnol iddynt ffarwelio â Iesu fel y maent wedi cael y fraint o'i adnabod yn nyddiau ei gnawd, ond ni fyddant byth heb bresenoldeb ei Ysbryd. Ni bydd y byd yn gweld Iesu *dim mwy* (19), ond bydd ei ddisgyblion yn ei *weld* (h.y. yn profi o'i gymdeithas ac o'i agosrwydd) trwy weinidogaeth yr Ysbryd Glân. Yr Ysbryd, felly, yw presenoldeb (*alter ego*) Iesu gyda'i ganlynwyr mewn ffurf anweledig a pharhaol. Yn y cymunedau Cristionogol cynnar yr oedd yr Ysbryd nid yn unig yn rhodd o eiddo Iesu i'w ganlynwyr (er yn adn. 16 rhodd oddi wrth y Tad ydyw ar gais Iesu), ond yn cyfateb, mewn gwirionedd, i bresenoldeb yr Iesu byw ei hunan yn ei eglwys. Dywed Paul yn 2 Cor. 3: 17: 'Yr Ysbryd yw'r Arglwydd hwn' (BCN); yn ôl y BC, 'Eithr yr Arglwydd yw'r Ysbryd'. Rhydd Iesu ddau enw ar yr Ysbryd. Ef yw (i) yr *Eiriolwr arall* (16), yn yr ystyr ei fod yn gynorthwywr, yn gynghorwr, yn blediwr achos y disgyblion. Y gair Groeg yw *paracletos*, a olygai'n wreiddiol, 'rhywun a alwyd i gynorthwyo', e.e. bargyfreithiwr mewn llys barn yn dadlau achos ac yn sefyll o blaid y cyhuddedig. Daw'r Saesneg *advocate* o'r Lladin *advocatus*, sef un a elwir i gynghori, y sawl sy'n amddiffyn y person sydd o flaen ei well yn y llys. Yr Iesu atgyfodedig, dyrchafedig yw ein heiriolwr gyda'r Tad yn y nef, ac y mae Iesu (neu'r Tad) wedi danfon *eiriolwr arall* i fod gyda ni ar y ddaear, sef yr Ysbryd Glân. (Am y syniad am yr Iesu atgyfodedig yn cyflawni swyddogaeth fel eiriolwr yn y nef dros y saint, gw. Rhuf. 8: 34; Heb. 7: 25; 1 In. 2: 1). Y mae'r Ysbryd hefyd yn (ii) *Ysbryd y Gwirionedd*, sef yr Ysbryd sy'n datguddio'r gwirionedd am Grist. Nid yw'r byd yn adnabod Crist (17a), ond y mae'r credadun yn ei adnabod, trwy waith a dylanwad yr Ysbryd Glân.

Â'i ymadawiad o fewn dim i fod yn ffaith, y mae Iesu'n tawelu meddwl ei ddisgyblion na fyddant yn amddifad (Groeg *orphanoi* yn golygu, yn llythrennol, 'heb dad'), megis plant heb rieni (*desolate* yw cyfieithiad y RSV). Yn wahanol i'r byd, na fydd yn ei weld ddim mwyach (mae'n arwyddocaol mai i'w ddisgyblion yn unig yr ymddangosodd Iesu yn dilyn ei atgyfodiad o feirw, nid i'r byd yn gyffredinol), bydd Iesu'n ymweld â'i ganlynwyr, a bydd yn eu bendithio â'r rhodd o fywyd tragwyddol – *byw fyddwch chwithau hefyd* (19). Hyn fydd profiad *yr un y mae fy ngorchmynion i ganddo, yr un ... sy'n fy ngharu i* (21). I'w eiddo ei hunan y bydd Iesu'n ei amlygu ei hun, gan ei fod ef a hwy, ynghyd â'r Tad, yn ffurfio cylch o gariad ac ufudd-dod lle mae pawb sy'n aelodau o'r cylch hwnnw yn adnabod ei gilydd ac yn ufuddhau i'w gilydd. Sonnir am Jwdas, fab Iago, yn rhestr Luc o'r Deuddeg, ond ni wyddys dim mwy amdano. Mae'n bosibl mai dyma'r *Jwdas* y cyfeirir ato yn adn. 22. Dengys ei gwestiwn ei fod yn gwybod am y gobaith meseianaidd (*i'th amlygu dy hun i ni*), ond ei fod heb ddeall geiriau a bwriadau Iesu'n llawn.

Yn adn. 26 y ceir yr unig enghraifft yn Efengyl Ioan o ddefnydd o'r term *yr Ysbryd Glân* yn gyflawn. Ynghyd â bod yn eiriolwr, y mae'r Ysbryd hefyd yn athro sy'n *dysgu* popeth i'r disgyblion. Fel athro nid yw'n cyflwyno unrhyw wybodaeth newydd; ei waith yw atgoffa'r disgyblion o'r hyn yr oedd Iesu eisoes wedi ei ddweud, a'i addasu ar gyfer eu hanghenion a'u hamgylchiadau. Trwy waith yr Ysbryd y daeth y disgyblion, yn dilyn yr esgyniad, i lawn ddeall ac i iawn werthfawrogi gwir ystyr neges Iesu.

Ni bydd ymadawiad Iesu'n esgor ar fraw ac ofn, ond ar dangnefedd a llawenydd. Y mae Iesu ar fin cyfnewid anawster-au a sarhad ei weinidogaeth ddaearol am ogoniant ei Dad. Mae'n wir fod dychwelyd at y Tad yn golygu wynebu digwydd-iadau argyfyngus y croeshoeliad, ond nid yw'r disgyblion i ofni. Yr hyn yw *tangnefedd* (*shalôm*) yw'r cyfarchiad Iddewig arferol; yma y mae'n gyfystyr â bendith offeiriadol, pan yw Iesu fel offeiriad (gw. pen. 17) yn bendithio'i ganlynwyr, ac yn deisyf heddwch ar eu rhan. Nid yw tangnefedd Crist yn eiddo i'r byd (27), yn wir y mae'n gwbl wahanol i syniad y byd am heddwch. Yn aml fe fydd dynion yn diffinio heddwch yn nhermau absenoldeb rhyfel a gwrthdaro; i Iesu y mae tangnefedd Duw yn rhywbeth cwbl gadarnhaol. Y mae'n gyfystyr â phresenoldeb yr Ysbryd yn y galon, ac am mai yn y galon y mae (yn fewnol, yn nwfn yr enaid), ni all amgylchiadau byd a bywyd amharu dim arno. Y mae *Yr wyf yn ymadael â chwi, ac fe ddof atoch chwi* (28) fel petai'n crynhoi cynnwys y bennod gyfan; dyma bwyslais canolog yr Anerchiadau Ffarwel. Satan, y gelyn, yw *Tywysog y byd hwn* (30). Cynllwyn sinistr Satan, trwy gydweithrediad

Jwdas, yw'r croeshoeliad, ond nid oes ganddo *ddim gafael* (30), h.y. ni fedd unrhyw hawl, ar Iesu. Eiddo Duw yw Iesu, a wyneb yn wyneb â gallu Duw nid yw nerth ac awdurdod Satan ond megis dim.

Bu'r ymadrodd *y mae'r Tad yn fwy na mi* (28) yn achos rhwyg nid bychan yn rhengoedd yr eglwys gynnar, ac yn destun dadl losg rhwng yr Ariaid a'u gwrthwynebwyr. A yw Efengyl Ioan yn datgan fod y Mab yn llai na'r Tad yn y duwdod? Awgrymir gan rai esbonwyr mai'r ystyr yw y bydd Iesu (a'i darostyngodd ei hun wrth ddod yn ddyn – gw. Phil. 2: 7, 8), yn cael ei adfer i'w statws cyflawn yn y nef yn dilyn ei esgyniad. Dros dro yn unig y gwacaodd ei hun (*kenosis*) o'i gydraddoldeb â'r Tad.

Y mae *Codwch, ac awn oddi yma* (31) fel pe bai allan o le yn y fan hon, ac o bosibl ei fod yn un o'r enghreifftiau o ddadleoli sydd wedi digwydd i'r testun gwreiddiol yn llaw golygydd mwy diweddar. Byddai'n gwneud llawer mwy o synnwyr pe bai'r cymal arbennig hwn yn cael ei gynnwys ar ôl 16: 33, fel gorchymyn o eiddo Iesu i'w ddisgyblion wedi iddo orffen siarad â hwy wrth y bwrdd.

15: 1-17   Iesu, y Wir Winwydden

Y mae alegori'r winwydden a'i changhennau, sy'n tanlinellu hanfodion y berthynas rhwng Iesu a'i ddisgyblion, yn cynnwys y seithfed a'r olaf o'r dywediadau 'Myfi yw' (1). Yn yr Hen Destament ceir nifer o enghreifftiau o'r winwydden yn cael ei defnyddio mewn modd trosiadol am Israel, e.e.: 'Daethost â gwinwydden o'r Aifft; gyrraist allan genhedloedd er mwyn ei phlannu' (Salm 80: 8); 'Plennais di yn winwydden bêr, o had glân pur' (Jer. 2: 21). Eithr er mai Duw a'i plannodd, a hynny 'ar fryncyn tra ffrwythlon' (Es. 5:1), ac er iddi gael pob mantais a gofal, siomedig iawn fu'r cynnyrch. Dyma'r casgliad trist ac eironig y daw'r proffwyd Eseia iddo yng Nghân y Winllan: 'Disgwyliodd (h.y. Duw) iddi (h.y. y winllan a blannodd Duw) ddwyn grawnwin, ond fe ddygodd rawn drwg ... disgwyliodd gael barn, ond cafodd drais; yn lle cyfiawnder fe gafodd gri' (Es. 5: 2,7). A'r un modd Iesu, yn Nameg y Winllan a'r Tenantiaid: 'Am hynny rwy'n dweud wrthych y cymerir teyrnas Dduw oddi wrthych chwi, ac fe'i rhoddir i genedl sy'n dwyn ei ffrwythau hi' (Mth. 21: 43). Gweler hefyd Dameg y Gweithwyr yn y Winllan (Mth. 20: 1-16); Gwers y Ffigysbren Crin (Mc. 11: 12-14, 20-25); Dameg y Winllan a'r Tenantiaid (Mc. 12: 1-12); Dameg y Ffigysbren Diffrwyth (Lc. 13: 6-9).

Cymer Ioan y deunydd Synoptaidd hwn (sydd â'i wreiddiau'n ddwfn yng ngweithiau'r proffwydi), a rhoi iddo ei ddehongliad arbennig ei hunan, gan bwysleisio'r elfennau canlynol: (1) Nid Israel, bellach, yw'r winwydden a blannodd Duw, ond Crist. Mewn cyferbyniad llwyr ag Israel Crist yw'r *wir winwydden* (1) (*gwir* yn golygu dilys, gwirioneddol, hanfodol, anhepgor; cymh. 'gwir fwyd', 'gwir ddiod', 6: 55). Y mae Israel yn winwydden ddiwerth, ac fe'i gwrthodir; Crist yn awr yw'r un sy'n cynhyrchu ffrwyth y Deyrnas. (2) Mae'r winwydden yn symbol o Grist yn ei gyfanrwydd, y pren a'r canghennau, Iesu a'i ddisgyblion mewn partneriaeth â'i gilydd. Fel na all y canghennau ddwyn ffrwyth heb iddynt *aros yn y winwydden* (4), gan sugno maeth a nerth oddi wrthi, yn yr un modd ni all aelodau'r eglwys gynhyrchu ffrwythau'r Ysbryd heb iddynt *aros* (4) yng Nghrist, oherwydd hebddo ef y maent yn eiddil a gwan – *ar wahân i mi ni allwch wneud dim* (5). Yr un yw pwyslais Paul yn ei alegori yntau o'r Eglwys fel corff: Crist yw'r pen, ac onid erys yr aelodau ynddo ef y mae'n amhosibl iddynt gyflawni eu priod swyddogaeth (1 Cor. 12: 12-31). (3) Yr hyn sy'n unigryw am Ioan yw ei fod yn gwisgo'r deunydd Synoptaidd ag arwyddocâd ewcharistig. Cynnyrch ffrwyth y winwydden yw gwin, sef un o elfennau'r Ewcharist, ac o gofio mai adeg y Swper Olaf (yn ôl Ioan) y mae Iesu'n traddodi'r alegori, gwelir i'r awdur gyd-wau nifer o themâu yn ei gilydd er creu cyfanwaith hynod awgrymog. Mae'r winwydden yn arwydd o gymundeb â

Christ, cymundeb sy'n bosibl trwy ei farwolaeth (mae'r gyfatebiaeth rhwng y 'gwin' a'r 'gwaed' yn amlwg, gw. 6: 53). Ni fydd yn bosibl i'r disgyblion fod mewn perthynas weledig â Christ o hyn ymlaen, oherwydd y mae ar fin ymadael â hwy (ar y groes tywelltir ei waed = gwin), ond byddant yn mwynhau perthynas ysbrydol (cymundeb) ag ef, perthynas a'i gwna yn bosibl iddynt gynhyrchu ffrwyth yr Ysbryd mewn gweithredoedd da.

Iesu, felly, yw'r *winwydden*; y disgyblion yw'r *canghennau*; a'r *gwinllanwr* (1) sy'n trin y pren, gan docio'r canghennau yn ôl yr angen, yw *y Tad*, sef Duw. Fe gofir mai Duw, yn yr Hen Destament, yw'r un sy'n plannu'r winllan a gofalu am y gwinwydd (Es. 5: 1; Jer. 2: 21). Y canghennau diffrwyth (2) yw naill ai (i) Israeliaid di-gred ac annheyrngar, neu (ii) Cristionogion anffyddlon sy'n anghyson â'u tystiolaeth, ac sydd wedi cefnu ar y ffydd. Ni ellir disgwyl i'r winwydden gynhyrchu ffrwyth heb i'r canghennau gael eu trin, a'r rhai meirwon *eu taflu i'r tân a'u llosgi* (6). Er mwyn i'r eglwys gydymffurfio â disgwyliadau Duw ar ei chyfer, gan fod yn eglwys yng ngwir ystyr y gair, a chynyddu ohoni yng ngrym yr Ysbryd, rhaid i'w haelodau ymostwng i ddisgyblaeth bersonol a chymunedol.

Y mae'r disgyblion *eisoes yn lân* (3) (h.y., a defnyddio delwedd yr alegori, maent wedi eu trin a'u tocio), trwy'r *gair*, sef cenadwri Iesu. Mae'n debygol iawn bod *eisoes yn lân* yn cyfeirio'n ôl at y golchi traed yn 13: 1-20; trwy'r weithred hon o eiddo eu Harglwydd y mae'r disgyblion wedi eu glanhau a'u sancteiddio, ac y maent mewn sefyllfa yn awr, trwy ras, i *ddwyn mwy o ffrwyth* (2). Ac fe'u glanheir ymhellach trwy aberth (bedydd) y groes. Mae'n rhaid nad cyd-ddigwyddiad yw'r ffaith fod Iesu'n cyfeirio'n flaenorol at Jwdas trwy ddweud, *Nid yw pawb ohonoch yn lân* (13: 11). Cangen ddiffrwyth yw Jwdas; nid ffrwythau'r Ysbryd a welir yn ei fywyd, ond ffrwythau drygioni a thywyllwch. Pa ryfedd, gan iddo, wrth fynd allan i'r nos, dorri'r cysylltiad oedd rhyngddo â Iesu. *Ni all y gangen ddwyn ffrwyth ohoni ei hun, heb iddi aros yn y winwydden* (4), a'r foment y cefnodd Jwdas ar Iesu, a thorri'r cysylltiad bywiol, hanfodol, oedd rhyngddo a'i Arglwydd, yr oedd mewn perygl dybryd o gyflawni'r weithred fwyaf erchyll.

Rhwng adn. 1 a 10, digwydd y gair *aros* ddeg o weithiau. Yr 'aros' hwn (un o dermau allweddol Efengyl Ioan) fydd cyfrinach parhad tystiolaeth ac ymlyniad y disgyblion. Er na fyddant yn gweld Iesu ddim mwyach y maent i aros mewn undeb ag ef, neu fe fydd eu bywyd hwythau hefyd yn ddiffrwyth. Elfen bwysig yn yr undeb hwn yw gweddi (7). Os bydd y disgyblion yn byw bywyd ffrwythlon, o ran defosiwn a daioni, byddant yn gogoneddu Duw, fel y gwna Crist (8). Y pennaf o'r ffrwythau a gynhyrchir ganddynt yw cariad (*agape*), a rhydd Iesu orchymyn diamwys, mai'r cariad hwn, yn anad dim arall, sydd i nodweddu cymeriad y disgybl (12). Mae'n bwysig nodi mai yn yr unigol y digwydd y gair *gorchymyn* (12) yn y fan hon; nid rhoi 'gorchmynion' a wna Iesu, fel y gwnâi deddf Moses, a'r 'traddodiad' yr oedd y Phariseaid a'r ysgrifenyddion yn rhoi cymaint pwys arno (ac a oedd yn cynnwys cannoedd o fân reolau a gwaharddiadau cymhleth yr oedd y bobl gyffredin yn cael anhawster mawr i'w deall), ond yn hytrach un gorchymyn mawr, sy'n cynnwys pob dyletswydd arall. Y mae pob cyfrifoldeb moesol, a phob dyletswydd Gristionogol yn oblygedig yn yr un gorchymyn mawr, hollgynhwysfawr, *carwch eich gilydd* (12). Yr esiampl i ymgyrraedd ato, a'r cymhelliad mawr ym mhob gweithred foesol, yw cariad aberthol, anhunanol Iesu – *fel y cerais i chwi* (12). Rhaid i'r disgyblion fynegi eu cariad mewn hunanaberth; nid oes *gariad mwy na hyn* (13). Fel arfer, *gweision* (15) (sef caethweision) sy'n ufuddhau'n ddigwestiwn i ewyllys eu meistr (nid eu lle hwy yw cwestiynu eu meistr ynglŷn â'i fwriadau, ond yn hytrach gweithredu'n unol â'i gyfarwyddiadau), ond oddi mewn i'r gymuned Gristionogol, *cyfeillion* Iesu sy'n ufuddhau i'w air, cyfeillion (i) a ddewiswyd gan Iesu i fod yn gydweithwyr ag ef, a thystion iddo yn y byd (16), ac sydd hefyd (ii) yn wybyddus ynghylch ewyllys Duw, gan fod Iesu eisoes wedi eu hysbysu o natur a diben yr ewyllys honno (15). Diweddir y paragraff trwy ailadrodd yr un gorchymyn canolog a bwysleisiwyd eisoes (17). Dyma grynhoi mewn tri gair – *carwch eich gilydd* (17) – y cyfan sy'n oblygedig yn y foeseg Gristionogol.

15: 18 - 16: 4a Casineb y Byd

Nid yw'r disgyblion i synnu os yw'r byd yn eu casáu a'u herlid, oherwydd dyma'r union driniaeth a dderbyniodd Iesu oddi ar law dynion. Tra bo agwedd y Cristion yn cael ei nodweddu gan gariad, nodweddir ymddygiad y byd gan gasineb. Nid yw'r Cristion yn perthyn i'r byd ond i Grist, ac nid yw gelyniaeth y byd tuag ato ond yn fynegiant pellach o elyniaeth y byd at ei Arglwydd. Ni all y gwas ddisgwyl amgenach triniaeth oddi wrth y rhai sy'n wrthwynebus i Grist na honno a gafodd ei Feistr (20). Nid yw'r byd yn derbyn Crist am nad yw yn adnabod yr hwn a'i hanfonodd, sef y Tad (21). Yn yr Efengylau Cyfolwg y mae Iesu'n rhagrybuddio'r Deuddeg ar fwy nag un achlysur o'r erledigaethau a ddaw i'w rhan yn y byd (e.e. Mc. 8: 34-38; 10: 39; 13: 9-13), ac mae'n dra thebyg mai dyma fersiwn Ioan o'r rhybuddion hynny.

Am i Iesu ddod a siarad â hwy nid oes gan ddynion *esgus* (22) am eu gweithredoedd drwg. Ni allant gyfiawnhau eu hunain ar sail anwybodaeth; y mae gweinidogaeth Iesu yn eu plith wedi rhoi cyfle iddynt dderbyn yr efengyl, ac edifarhau, ac arnynt hwy y syrth y cyfrifoldeb os dewisant beidio â gwrando a chredu. Y bai y maent yn euog ohono yw gwrthod y *gweith-redoedd ... na wnaeth neb arall* (24), sef yr arwyddion, oherwydd roedd yr arwyddion yn dangos yn ddigon eglur i bwy bynnag a fynnai gredu fod Oes y Meseia wedi gwawrio. Daw'r dyfyniad yn adn. 25 o Salm 69: 4, ac y mae *Cyfraith* yn cyfeirio, felly, nid at y Pumllyfr ond at y Hen Destament yn ei gyfanrwydd. Pan ddaw'r *Eiriolwr*, sef *Ysbryd y Gwirionedd*, bydd yn cadarnhau tystiolaeth y disgyblion, tystiolaeth sydd yn unigryw a gwerthfawr, am iddynt fod gyda Iesu *o'r dechrau* (27), h.y. o ddechreuad ei weinidogaeth yng Ngalilea. Hwy a gafodd y fraint o weld â'u llygaid eu hunain y gweithredoedd nerthol a gyflawnodd Iesu; cawsant glywed â'u clustiau ei eiriau a'i bregeth; ac yn y man byddant yn dystion i'w farwolaeth a'i atgyfodiad.

Yn yr Efengylau Cyfolwg y mae Iesu'n hysbysu ei ddisgyblion o'r trychinebau naturiol a gwleidyddol a fyddai'n digwydd yn y cyfnod rhwng y croeshoeliad a'r *parowsia*: rhyfeloedd, daeargrynfâu, newyn, trallod y cenhedloedd. Dyma 'arwyddion y diwedd', prawf nad buddugoliaeth hawdd a ddaw i ran yr Efengyl. Ceir syniadau tebyg yn yr adran hon. Er mwyn cadw ei ddilynwyr rhag *cwympo* (16: 1) (ac mae'n amlwg fod llawer eisoes wedi cefnu am iddynt gael eu herlid ar gyfrif eu ffydd, gw. 6: 66), y mae Iesu'n gosod yn glir o'u blaen y math o ymateb y gallant ei ddisgwyl o du dynion. Yn chwarter olaf y ganrif gyntaf OC bu ymgais i esgymuno Cristionogion Iddewig *allan o'r synagogau* (gw. 9: 22), ond bydd gwaeth i ddod, a'r sawl a fydd yn bygwth ac yn lladd dilynwyr Iesu yn tybio eu bod yn offrymu *gwasanaeth i Dduw* (2). Pwrpas Iesu wrth raghysbysu ei ddisgyblion o'r treialon hyn yw er mwyn iddynt gofio'i eiriau pan ddelo dydd y prawf; bydd hyn yn gymorth ac yn ysbrydiaeth iddynt ymddál ynghanol eu cyfyngder. Y mae *amser* (2) i'w gyferbynnu â'r 'awr' y sonia Iesu mor fynych amdani yn yr efengyl hon. 'Amser' penodol a chyfyngedig sydd gan y byd i anelu ei saethau at eglwys Crist; y mae 'awr' Crist yn dragwyddol, a'i Deyrnas yn un a bery yn oes oesoedd.

16: 4b - 15   Gwaith yr Ysbryd

Nid oedd angen rhybudd cynharach o'r gwaeau a oedd i ddod, oherwydd hyd yma *yr oeddwn i gyda chwi* (4b), ac yr oedd presenoldeb Iesu yn ddigon ynddo'i hun i'w gwarchod rhag cynllwynion y byd. Er bod Iesu wedi cyfeirio'n ddigon aml at ei ymadawiad, nid oedd neb o'r cwmni wedi ei holi'n benodol ynglŷn â phen ei daith (5), hynny oherwydd eu tristwch (6). Yn fwriadol, ac yn ddigon naturiol, yr oedd y disgyblion wedi gwneud pob ymdrech i osgoi'r pwnc. Eithr ni ddylent fod yn ddigalon, oherwydd bydd ymadawiad Iesu'n *fuddiol* (7) iddynt, gan mai o ganlyniad i'r ymadael hwn y disgyn yr Ysbryd arnynt. Hyd nes ei fod ef yn dychwelyd i dŷ ei Dad ni all ddanfon yr Eiriolwr atynt. Tra bo Iesu ar y ddaear, yn gaeth i gyfyngiadau ei fodolaeth gorfforol, ddynol, ni all yr Ysbryd hollbresennol a chyffredinol ddechrau ar y gwaith o dystio i'r holl genhedloedd ym mhob rhan o'r byd. Felly, nid galaru yw'r emosiwn priodol yn awr, ond gorfoleddu. Daeth y Gair yn gnawd (1: 14), ac fel dyn cyflawnodd Iesu waith unigryw a digymar wrth fyw a marw ymhlith dynion. Eithr fel dyn yr oedd Iesu'n gyfyngedig, fel pob creadur meidrol, i le ac amser. Yn awr fe dry'r 'cnawd' yn 'Ysbryd', Ysbryd na fydd 'meithder ffordd nac amser' yn rhwystr iddo mewn unrhyw fodd i gyflawni ei waith a'i weinidogaeth. Fe'i nodweddir gan ryddid sofran, a'r gallu i fod yn bresennol ym mhob man ac ar bob adeg.

Bydd dyfodiad yr Ysbryd yn effeithio ar y byd yn ogystal â'r disgyblion, ac yn argyhoeddi'r byd o dri pheth yn benodol: (i) o *bechod* (8 a 9). Pechod y byd yw ei anallu i gredu yn Iesu o ganlyniad i'w hunanoldeb dall, ond yn awr datgelir iddo mewn modd diamheuol ei ddirfawr fai wrth iddo ymwrthod â Thywysog y Bywyd. (ii) o *gyfiawnder* (8, 10). Yma'n unig y digwydd y gair 'cyfiawnder' (sydd mor nodweddiadol o epistolau Paul) yn y Bedwaredd Efengyl. Bydd yr Ysbryd yn datgelu i'r byd nad trychineb a cholled, wedi'r cwbl, oedd marwolaeth Iesu ar y groes; trwy'r groes bydd Duw yn cyfiawn-hau'r pechadur, ac yn cyflawni ei amcan mawr, sef achubiaeth y byd. Mae'r ffaith fod Iesu'n *mynd at y Tad* (10) yn profi bod y groes yn rhan o bwrpas Duw. Nid mynd i'w dranc, ac nid mynd i ddifancoll a wna Iesu wrth wynebu ei ddienyddwyr, ond cyflawni amcanion tragwyddol Duw. Trwy'r groes caiff ei ddyrchafu i ogoniant, a bydd yn dychwelyd at y Tad. (iii) o *farn* (8, 11). Roedd y groes yn ymddangos yn gondemniad ar Iesu, ond trwy ei atgyfodiad try ei groes yn fuddugoliaeth, ac yn gondemniad ar ei gyhuddwyr, yn arbennig ei gam-gyhuddwr, sef *Tywysog y byd hwn* (11), Satan. Gall *fe argyhoedda* yn adn. 8 olygu 'dwysbigo cydwybod', yn yr ystyr bod yr Ysbryd yn gweithredu fel cydwybod y byd, ac yn argyhoeddi dynion o'r cam a wnaethant â Iesu trwy ei wrthod a'i waradwyddo.

Tra oedd Iesu yn eu plith nid oedd y disgyblion yn llawn werthfawrogi natur ei berson a'i waith. Nid tan ar ôl i Iesu ymadael â hwy y daethant i iawn ddeall pwy ydoedd mewn gwirionedd, a beth oedd nod mawr ei genhadaeth ymhlith dynion; daethant i ddeall hyn oll yn y diwedd trwy gyfarwyddyd yr Ysbryd. Ni allent *ddal y baich* (12, h.y. nid oedd ganddynt yr adnoddau meddyliol ac ysbrydol i gymryd popeth i mewn, ac i amgyffred y gwir am Iesu yn ei gyfanrwydd) ar unwaith, ond nid oedd raid iddynt. Yr Ysbryd a fyddai'n eu harwain *yn yr holl wirionedd* (13) (neu, yn ôl un darlleniad posibl arall, *at* yr holl wirionedd). Nid llefaru *ohono'i hun* (13) a fydd yr Ysbryd (fel nad oedd Iesu wedi llefaru ohono'i hun, gw. 12: 49), ond yn hytrach llefaru *yr hyn a glyw* (13) gan y Tad, h.y. mynegi i'r disgyblion yr hyn a roddir iddo gan Dduw. Ymhlith pethau eraill bydd yn mynegi'r *hyn sy'n dod* (13), cyfeiriad at naill ai (i) y Dioddefaint a'r Atgyfodiad, neu (ii) y digwyddiadau olaf, eschatolegol; y pethau a ddaw i fod yn niwedd yr amser. Bydd yr Ysbryd hefyd yn gogoneddu Crist, gan gymryd eiddo Crist a'i roi i'w ddisgyblion.

16: 16-24   Troi Tristwch yn Llawenydd

Yn dilyn ymadawiad Iesu bydd y disgyblion, fel y byddid yn disgwyl, yn drist a hiraethus, ond daw ef yn ôl atynt a throi eu tristwch yn orfoledd. Y mae *ni byddwch yn fy ngweld i ddim mwy, ac ymhen ychydig wedyn, fe fyddwch yn fy ngweld* (16) yn amwys, efallai o fwriad. Awgrymwyd mwy nag un esboniad ar ystyr yr ymadrodd:

(i)   Wedi'r croeshoelio bydd corff Iesu'n cael ei osod mewn bedd, ac felly bydd yn diflannu o olwg y disgyblion, ond ar fore'r trydydd dydd, ac yntau wedi atgyfodi, bydd yn ymddangos iddynt drachefn, a hwythau'n cael ei weld yn fyw.

(ii) Bydd Iesu'n diflannu o olwg dynion yn a thrwy ei esgyniad i'r nef, ac yna'n dychwelyd ar y Dydd Olaf, gan ddod yn weladwy iddynt unwaith eto. (Dyma'r trywydd y mae C.K. Barrett yn ei ddilyn).

(iii) Ym marn Alan Richardson, cyfeirio a wna'r adnod at ddychweliad Iesu at ei ddisgyblion trwy gyfrwng yr Ysbryd Glân. Yn ôl J.A.T. Robinson (*Jesus and His Coming*), dyma'r unig ffurf ar yr ailddyfodiad y gŵyr Ioan amdano, oherwydd iddo ef, nid yw'r ailddyfodiad i'w ddeall yn nhermau rhyw ddigwyddiad cataclysmig, daeargrynfaol yn niwedd y byd, ond yn hytrach yng ngoleuni Iesu'n ailbresenoli ei hunan ymhlith ei ganlynwyr trwy weinidogaeth yr Ysbryd Glân. Yn ôl Ioan digwyddodd hyn ar nos Sul y Pasg (gw. 20: 22). Felly, yn ôl awdur y Bedwaredd Efengyl, nid rhywbeth i edrych ymlaen ato, fel pe bai heb ddigwydd, ac sydd eto i ddigwydd rywbryd yn y dyfodol, yw'r ailddyfodiad, ond yn hytrach realiti sydd eisoes yn bod, sydd eisoes yn ffaith, ac sydd i'w brofi gan berchenogion ffydd yn y presennol. Y mae Iesu eisoes wedi dychwelyd yn a thrwy ei Ysbryd.

Bu athrawiaeth yr ailddyfodiad yn ddryswch, ac yn destun dadl a thrafodaeth i lawer ar hyd y canrifoedd, fel ag y mae i'r disgyblion eu hunain yn y fan hon. Nid ydynt yn deall yr *ychydig amser* (18) y mae Iesu'n sôn amdano. Mae'n arwyddocaol mai cyfeirio at *ychydig* amser a wneir, nid at ddigwyddiad pell-i-ffwrdd, ond at rywbeth sydd ar fin digwydd, rhywbeth a ddaw i fod yn y dyfodol agos, o fewn ychydig ddyddiau, yn wir. Y mae hyn fel petai yn cadarnhau dehongliad (iii) uchod.

Yn adn. 20 ceir rhybudd ynghylch yr adeg pan fydd y byd yn ymorchestu yn ei ymosodiadau ar yr eglwys, a hithau, yn ei llesgedd, yn ymddangos yn gwbl analluog i wrthsefyll y gelyn. Ond bydd dyfodiad Iesu'n troi tristwch yn llawenydd (20b). Mae'r darlun o'r wraig feichiog sy'n anghofio ei phoenau esgor wedi iddi eni'r plentyn yn debyg iawn i'r hyn a geir yn Es. 26: 16-19; 66: 7-14, lle mae'r proffwyd yn gweld dyfodiad y Meseia yn fodd i leddfu trallod ei bobl. Y mae *ond fe'ch gwelaf eto* (22) yn dynodi newid allweddol, gan fod y pwyslais yn awr nid ar y disgyblion yn gweld Iesu (cymh. adn. 16), ond ar Iesu'n eu gweld hwythau. Fel yn ei ymwneud â phobl yn ystod cyfnod ei weinidogaeth ar y ddaear (e.e. Nathanael; Nicodemus) fe fydd yr Iesu atgyfodedig, trwy waith ei Ysbryd, yn cymryd y cam cyntaf, cychwynnol (yr *initiative*) i'w ddatguddio'i hunan i'w ganlynwyr. Ni fydd neb, felly, yn gallu dwyn eu llawenydd oddi arnynt, am ei fod yn rhodd Crist (22). Yn y dydd hwnnw ni bydd yn rhaid iddynt ofyn unrhyw gwestiwn i Grist (23), oherwydd bydd yr Ysbryd yn eu harwain i bob gwirionedd, ac yn egluro iddynt unrhyw beth dyrys na fyddant yn ei ddeall. Fodd bynnag, byddant yn dal i weddïo, a bydd y Tad yn ateb eu deisyfiadau yn enw Iesu.

16: 25-33   Yr Wyf Fi wedi Gorchfygu'r Byd

Pwysleisir dau beth yn y paragraff hwn:
(i)   Yn y dyfodol ni bydd yn rhaid i'r disgyblion holi cwestiynau, oherwydd bydd Iesu'n siarad â hwy'n eglur, nid, mwyach, mewn *damhegion* (25). Yr awgrym yw bod dameg yn cynnwys elfen o ddirgelwch, rhyw

ystyr cyfrin, cudd, sy'n achosi anhawster i'r gwrandawyr, sylw a wneir ym mhob un o'r Efengylau Cyfolwg (gw. Mc. 4: 10-12; Mth. 13: 10-17; Lc. 8: 9-10). Yn dilyn ei Atgyfodiad a'i Esgyniad, pan fydd Iesu'n llefaru trwy ei Ysbryd *am y Tad* (25), bydd ei eiriau iddynt yn glir fel y grisial, a'i ddilynwyr yn eu dilyn yn ddidrafferth. Cymharer hyn â chynnwys adn. 29.

(ii) Bydd modd i'r disgyblion weddïo'n hyderus gan wybod y bydd y Tad yn gwrando, ac yn ateb, eu gweddïau (26).

Nid yw adn. 27 yn golygu bod cariad Duw yn ddibynnol ar gariad dynion, sef bod y Tad yn caru'r disgyblion am y rheswm eu bod hwythau, yn gyntaf, wedi caru Iesu. Buasai hynny'n gwneud cariad Duw at ddyn yn amodol, ac yn gwbl groes i'r hyn a bwysleisir yn 1 In. 4: 10 –12. Yr hyn a wna'r adnod yw disgrifio'r cylch o gariad sy'n bodoli rhwng y Tad a Iesu a'i ddisgyblion, lle mae pob aelod o'r cylch yn caru ei gilydd, ac yn cael eu caru gan ei gilydd.

Y mae'r disgyblion yn awr yn gwbl hyderus eu bod yn deall y gwirionedd yn llawn (30). Nid felly! Y maent ar fin gadael eu Harglwydd, a chael eu *gwasgaru bob un i'w le ei hun* (32), gan adael Iesu'n unig a digyfaill. Eto, ni bydd Iesu'n ddiymgeledd; mae'n wir na fydd neb o'r Deuddeg yn cadw cwmni ag ef, ond bydd y Tad yn ei ymyl, ac ni fydd y Tad yn ei adael byth. Hawdd dychmygu ymateb y disgyblion i'r fath newydd dinistriol am eu annheyrngarwch a'u hanffyddlondeb, ond fe'i cyflwynwyd iddynt gan Iesu nid er mwyn lladd eu hysbryd ond er mwyn iddynt brofi, ynddo ef, y *tangnefedd* (33) sydd uwchlaw deall y byd. Fe ddaw iddynt dangnefedd o wybod (i) bod Iesu wedi rhagweld eu llwfrdra, a'i fod yn barod i faddau iddynt, a (ii) yn bwysicach, bod Iesu wedi gorchfygu'r byd, y byd na all y disgybl ddisgwyl dim ynddo, nac oddi wrtho, ond casineb a gorthrymder (33). Llwydda Iesu i ennill goruchafiaeth dros y byd (i) trwy ei waredu, yng ngrym ei gariad; (ii) trwy ddarostwng Tywysog y byd hwn, a drodd y byd da a grewyd gan Dduw yn elyniaethus tuag ato. Yn y fan hon, ar ddiwedd yr Anerchiadau Ffarwel, ar ôl i Iesu rybuddio'i ddisgyblion o'r hyn y gallent ei ddisgwyl yn y dyfodol (pell ac agos), a thawelu eu hofnau trwy eu sicrhau o'i fuddugoliaeth derfynol ar alluoedd y tywyllwch, buasai'n briodol i gynnwys y gorchymyn, *Codwch, awn oddi yma* (14: 31).

17: 1-26   Gweddi Iesu

Y teitl a roddir yn gyffredin ar y bennod hon yw 'Gweddi Archoffeiriadol Iesu'. Fe'i gelwir wrth yr enw hwn am fod Iesu'n gweithredu ynddi fel offeiriad sy'n ei gysegru ei hunan yn aberth a gyflwynir i Dduw dros bechodau'r byd. Trwy ei ddioddefaint sefydlir cyfamod newydd rhwng Duw a dynion. Yr unig fan yn y Testament Newydd lle gelwir Iesu'n 'archoffeiriad' yw yn y Llythyr at yr Hebreaid (e.e. Heb. 4: 14; 5: 5), ond y mae'r cysyniad o aberth Iesu yn amlwg ym mhob un o'r efengylau a'r epistolau. Er nad yw Ioan yn cyfeirio at sefydlu'r Ewcharist yn ystod y Swper Olaf, y mae'n cyflwyno bywyd daearol Iesu, o'i ddechrau hyd ei ddiwedd, yn nhermau aberth basgaidd neu ewcharistaidd. Crist yw 'Oen Duw, sy'n cymryd ymaith bechod y byd' (1: 29). Y mae geiriau'r weddi'n cyfateb i eiriau cysegru'r archoffeiriad yn yr Hen Destament, ond yn yr achos hwn, nid cysegru unrhyw anifail neu offrwm a wna Iesu, ond yn hytrach ei gysegru ei hunan yn aberth a gyflwynir er iachawdwriaeth y byd. Nid cysegru a wna, ond ymgysegru.

Yn wahanol i'r hyn a gofnodir yn yr efengylau eraill, lle mae Iesu'n mynd o'r oruwchystafell i ardd Gethsemane i weddïo (ac yntau, mewn ing a gwewyr, yn deisyf ar i'r 'cwpan' gael ei symud o'i lwybr, os hynny yw ewyllys Duw), yn Ioan offrymir y weddi yn yr ystafell lle y cynhelir y Swper (1), ac nid oes unrhyw sôn ynddi am y posibilrwydd o Iesu'n cael ei arbed rhag wynebu dyfnaf loes. Ni cheir yn y weddi yn Ioan yr arlliw lleiaf o alar neu dristwch; yn un peth, buasai hynny'n gwbl amhriodol ac anghyson yn dilyn gorfoledd y sgyrsiau ffarwel. Nid fel *victim* anfodlon, protestgar (megis un a syrthiodd yn ysglyfaeth i gynllwynion ei elynion, ac sy'n awr, o anfodd, yn gorfod wynebu'r canlyniadau blin) yr â Iesu i'w groes, ond fel aberth gwirfoddol. Nid oes neb yn dwyn ei einioes oddi arno; ef ei hunan sy'n ewyllysio ei rhoi (cymh. 10: 17, 18). Nid dioddefwr diymadferth mohono, un sy'n ennyn tosturi a chydymdeimlad; i'r gwrthwyneb, brenin ydyw sydd newydd ei goroni a'i anrhydeddu (gweler 12: 3). Y mae prif dermau'r weddi – e.e., *awr, gogoneddu, bywyd tragwyddol, y gwaith, y byd, anfon, gwybod* – yn gwbl nodweddiadol, nid yn unig o eirfa awdur Efengyl Ioan ond hefyd o'i berspectif diwinyddol, ac yn crynhoi'n berffaith ei ffordd unigryw yntau o ddehongli'r Dioddefaint.

Gellir, yn briodol, alw'r weddi hon yn 'Weddi'r Arglwydd'. Wrth gwrs, dyma'r pennawd a roddir yn arferol uwchben y weddi a ddyfynnir yn Mth. 6: 9-13 a Lc. 11: 2-4, ond, a bod yn fanwl gywir, 'Gweddi'r Disgybl' a geir yn y mannau hynny. Daw'r disgyblion at Iesu a chyflwyno iddo'r cais, 'Arglwydd, dysg i ni weddïo, fel y dysgodd Ioan yntau i'w ddisgyblion ef' (Lc. 11: 1), a rhydd Iesu iddynt batrwm o weddi iddynt hwy, ei ganlynwyr, ei hymarfer. Ond yn y fan hon, ef ei hunan sydd nid yn unig yn llunio'r weddi ond hefyd yn ei hoffrymu, a hynny o ddyfnder ei enaid. Nodweddir y weddi, drwyddi draw, gan dynerwch a diffuantrwydd, ac y mae consýrn Iesu am dynged ei ddisgyblion yn sicr o adael argraff ar bwy bynnag sy'n ei darllen. Fe'i nodweddir hefyd gan ddiolchgarwch; ynddi, mae Iesu'n diolch am: (i) *y dynion* (y disgyblion) (6); (ii) *y geiriau* (y genadwri) (8); (iii) a hefyd *yr enw* (yr awdurdod) (11), a roddwyd iddo gan y Tad. Ac o'r dechrau'n deg fe'i nodweddir gan y nodyn o oruchafiaeth; er mai'r groes sydd yn yr ymyl, ni all na dyn na diafol wrthsefyll bwriadau Duw. Gellir rhannu'r weddi yn bedair rhan:

1. Adn. 1-5: *Y mae Iesu'n ei gysegru ei hunan ac yn gofyn i Dduw*
   ogoneddu ei Fab yn a thrwy ei farwolaeth, er mwyn i'r
   Mab ogoneddu'r Tad.

Cyfeiria'r *geiriau hyn* (1) at gynnwys yr Ymddiddanion Ffarwel.
Dyrchafa Iesu *ei lygaid i'r nef* (1) mewn osgo gweddi; roedd yn
arferiad gan y Phariseaid a'r ysgrifenyddion ddyrchafu eu
dwylo yn ogystal. Daw *O Dad* (*Abba*) o iaith gyfarwydd cylch y
teulu. Dyma ffordd Iesu ei hunan o gyfarch Duw, a dysgodd ei
ddisgyblion i wneud yn gyffelyb. Cyfeiria'r *awr* (1) at y foment
fawr, dyngedfennol, y bu holl fywyd Iesu, hyd yma, yn paratoi
ar ei chyfer, sef awr ei ddarostyngiad a dry yn y man yn awr ei
oruchafiaeth derfynol. Dyma'r 'awr' a apwyntiwyd iddo gan
Dduw.

Dyma awr gogoneddu'r Mab (1b). Yr oedd Iesu wedi
gogoneddu Duw trwy ei fywyd o ufudd-dod perffaith (cymh.
adn. 4); yn awr y mae Duw yn gogoneddu Iesu trwy roi yn ôl
iddo yr anrhydedd yr oedd ef wedi ei osod o'r neilltu pan
ddaeth yn ddyn – gogoniant a oedd yn eiddo i Grist gyda'r Tad
cyn creu y byd (cymh. gosodiad agoriadol yr efengyl yn 1: 1).
Cyfrwng gogoneddu Iesu yw'r groes. Bydd Duw yn gogoneddu
ei Fab trwy wneud y groes, sy'n ymddangos ar y cyntaf yn ddim
ond methiant trychinebus, yn fodd i ddwyn gwaredigaeth i'r
holl fyd. Y mae *pob dyn* (2) yn derm cyffredin yn y Testament
Newydd am (i) y natur ddynol, a (ii) pob peth byw. Y mae
awdurdod (2) yn golygu 'hawl'. Yn adn. 3 diffinir *bywyd*
tragwyddol yn nhermau adnabyddiaeth bersonol o Dduw, syniad
a adleisir ar dudalennau'r Hen Destament a hefyd mewn
athroniaeth Roeg a Gnosticaidd, e.e.: 'Hyn yn unig sydd
iachawdwriaeth i ddyn, sef adnabod Duw' (o'r *Corpus*
Hermeticum), ond bod Ioan yn ychwanegu *a'r hwn a anfonaist ti,*
Iesu Grist (3). Yn y cyd-destun Cristionogol, trwy Iesu, ei Fab, y
deuir i adnabod y Tad, ac i brofiad o'r bywyd yr ewyllysia ef ei
roi i'r credadun. Y mae Iesu wedi gogoneddu'r Tad trwy *orffen y*
gwaith (4) a roddwyd iddo i'w gyflawni gan Dduw. Yr hyn a

wna'r ymadrodd yn y fan hon yw cyfeirio ymlaen at waith gorffenedig Iesu ar y groes (cymh. 'Gorffennwyd', 19: 30).

2. Adn. 6-19: *Gweddi Iesu ar ran ei ddisgyblion a fydd yn parhau â'i waith yn y byd.*

Ystyrir y disgyblion yn nhermau rhoddion oddi wrth y Tad i'r Mab – *y dynion a roddaist i mi allan o'r byd* (6). Datguddiodd Iesu iddynt *enw* (sef 'cymeriad') Duw, ac y maent wedi cadw ei air. Eisoes y maent wedi dysgu bod cenhadaeth Iesu o Dduw (*oddi wrthyt ti y deuthum*, 8), ac mai gwaith Duw ei hun yw gwaith Iesu. Cyfeirio a wna *y geiriau a roddaist ti i mi* (8) at eiriau Iesu hanes, yn hytrach na geiriau'r Iesu atgyfodedig trwy gyfrwng yr Ysbryd. Roedd y Cristionogion cynnar yn trysori geiriau Iesu ac yn eu gweld yn nhermau traddodiad sanctaidd, amhrisiadwy. Mae Ioan yn pwysleisio mai eiddo Duw yw geiriau Iesu – *a roddaist ti i mi*; nid llefaru ei eiriau ei hunan a wnaeth Iesu, ond cyflwyno cenadwri'r Tad.

Nid dros *y byd* (9) y gweddïa Iesu ond dros ei ddisgyblion, nid am nad oes gan Dduw ddiddordeb yn y byd (i'r gwrthwyneb, y mae'r byd yn wrthrych ei gonsýrn diddiwedd, a'i gariad anfeidrol – gw. 3: 16 – ac yn llwyfan cenhadaeth achubol ei Fab), ond am mai'r unig obaith i'r byd yw iddo beidio â bod fel y mae'r 'byd drwg presennol' (h.y. mewn gwrthryfel yn erbyn amcanion Duw), ac iddo ddod yn eiddo o'r newydd i Dduw yng Nghrist. Y mae Iesu'n dychwelyd at y Tad, ond mae'r disgyblion yn aros yn y byd (11) i fod yn dystion iddo, ac ynddo, i'r iachawdwriaeth a gynigir i ddynion gan yr efengyl. Tra bu Iesu gyda'i ddisgyblion yn y cnawd (*pan oeddwn gyda hwy*, 12) yr oedd wedi eu gwarchod a'u diogelu, ac ni chollwyd ond un ohonynt, sef *mab colledigaeth* (12), yn unol â gair yr Ysgrythur (y ffynhonnell fwyaf tebygol yw Salm 41: 9). Teitl Iddewig am yr Anghrist yw *mab colledigaeth*; yma y mae'n cyfeirio, yn amlwg ddigon, at Jwdas. O hyn ymlaen bydd y disgyblion yn agored i elyniaeth y byd, ac y mae Iesu'n gweddïo ar i Dduw eu hamddiffyn rhag perygl a'u cadw mewn undod â'i gilydd. Dull Iddewig o gyfarch Duw yw *O Dad sanctaidd* (11) (cymh. *O Dad cyfiawn*, 25). Y mae *cadw'n ddiogel* (12) yn derm technegol a ddefnyddid mewn cylchoedd milwrol am warchod tref neu ddinas rhag ymosodiadau'r gelyn.

Nid yw'r disgyblion, fel nad yw Iesu ei hunan, yn *perthyn i'r byd* (14). Y mae'r gosodiad hwn yn crynhoi llawer iawn o ddysgeidiaeth Efengyl Ioan am berson Iesu. Er bod Iesu'n cyflawni ei waith ar y ddaear, ac er mai ei fwriad mawr yw gwaredu'r byd, nid yw, mewn gwirionedd, yn rhan o'r ddaear, ac nid o'r ddaear y mae'n hanu; nid 'oddi isod' y daw ond 'oddi uchod'; fe ddaw ei eiriau 'oddi fry'; ac y mae ei roddion (bara, dŵr, bwyd, bywyd) yn rhoddion ysbrydol. Yn union fel eu Harglwydd, nid yw'r disgyblion, ychwaith, yn perthyn i'r byd. Y maent ynddo, heb fod ohono. Fe'u ganed 'oddi uchod', ac y mae ganddynt yn eu meddiant 'fywyd tragwyddol', sef bywyd nad yw o'r byd hwn. Ond er nad yw'r disgyblion o'r byd y maent i aros ynddo fel tystion i Grist, apostolion a ddanfonir allan i'r byd i gyhoeddi'r Efengyl. Y mae Iesu'n gweddïo drostynt: (i) er mwyn i Dduw eu hamddiffyn *rhag yr Un drwg* (15) (cymh. 'A phaid â'n dwyn i brawf, ond gwared ni rhag yr Un drwg', Mth. 6: 13); (ii) er mwyn iddynt brofi ei lawenydd ef *yn gyflawn ynddynt hwy eu hunain* (13). Llawenydd Iesu oedd gwneud ewyllys y Tad, er i hyn yn y diwedd gostio'i fywyd iddo; yr un modd, er gwaethaf pob siom ac adfyd, daw llawenydd i ran y disgyblion, ar yr amod eu bod yn ildio'u bywydau'n llwyr i gyflawni bwriadau Duw; (iii) iddynt gael eu *cysegru yn y gwirionedd* (17, 19). Ystyr 'cysegru' yw 'gosod o'r neilltu', 'sancteiddio' i waith arbennig, yn enwedig i'r offeiriadaeth. (Yn y bôn, ystyr y gair 'saint', Groeg = *hagios*, yw pobl wedi eu neilltuo gan Dduw, ac i Dduw, i fod yn oleuadau iddo yn y byd.) Yma, cyfeiria'r gair at gysegru'r apostolion i'w gwaith fel tystion i Grist yn y byd yn dilyn ei esgyniad. Ac fe'u cysegrir *yn y gwirionedd* (17), sef i'r gwaith o gyhoeddi'r gwirionedd am

Iesu. Yn dilyn yr atgyfodiad bydd ganddynt Efengyl ogoneddus i'w phregethu, a bydd y ffaith fod Iesu wedi atgyfodi yn warant o ddilysrwydd ac o eirwiredd eu cenadwri. Nid i hau celwydd a ffalster y'u danfonir allan i blith dynion, ond i dystio i'r gwir fel ag y mae yn Iesu. Yn union fel yr anfonodd Duw Iesu i'r byd, y mae Iesu, yn awr, yn anfon allan ei ddisgyblion i'r byd (18).

Felly, ar yr awr dyngedfennol hon, pan yw Iesu ar fin ymadael â'r rhai a gomisiynwyd ganddo i dystio i'w Efengyl yng ngŵydd dynion, a wynebu'r groes, y mae yntau'n ei gysegru ei hunan *er eu mwyn hwy* (19), h.y. y mae'n rhoi ei fywyd yn llwyr er mwyn ei ddisgyblion. Y tu ôl i'r ymadrodd gorwedd y syniad llywodraethol o aberth a hunanymwadiad. Y mae Marc (10: 45) yn dyfynnu o Lyfr Eseia, ac yn sôn am Iesu 'yn rhoi ei fywyd yn bridwerth dros lawer'. Yn sicr ddigon, yr hyn sydd y tu ôl i feddwl Marc, a'r un modd i feddwl Ioan yn y fan hon, yw darlun y proffwyd o'r Gwas Dioddefus a 'archollwyd am ein troseddau ni, a'i glwyfo am ein hanwireddau ni' (Es. 53: 5).

3. Adn. 20-24: *Gweddi Iesu dros ei ddisgyblion ym mhob oes.*
Nid dros yr un-ar-ddeg yn unig y gweddïa Iesu, ond dros ei ddilynwyr drwy'r canrifoedd, ar iddynt fod yn un (21, 22 – cymh. adn. 11). Eglurir natur a chyfansoddiad yr undod hwn yn yr ymadrodd *fel yr wyt Ti, O Dad, ynof fi a minnau ynot ti* (21). Mae'r Tad a'r Mab mewn undod diwahân, anrhanedig, â'i gilydd (23): y mae'r Tad yn y Mab ac yn gweithio drwy'r Mab, ac y mae'r Mab, yntau, yn cyflawni ewyllys ei Dad. Mae'r undod sydd rhyngddynt yn undod mewn hunaniaeth, gweinidogaeth a gweithgaredd, ac yn bennaf oll, mewn cariad (cymh. 'Myfi a'r Tad, un ydym', 10: 30). Yn yr un modd y mae disgyblion Crist, aelodau o'i eglwys, i fod yn un mewn amcan a chenhadaeth, ac yn anad dim, wedi eu clymu ynghyd yng nghwlwm cariad. Duw yng Nghrist, a Christ yn ei Eglwys, a'r gyd-berthynas rhyngddynt yn arwain at *undod perffaith* (23). Y mae'r Tad a'r Mab, gyda'i gilydd yn gytun, yn gweithio drwy'r Eglwys, ac y

mae aelodau'r Eglwys i fod yn un â hwythau, ac â'i gilydd. Y pwrpas mawr y tu ôl i'r undod hwn yw *er mwyn i'r byd gredu mai tydi a'm hanfonodd i* (21). Dygwyd yr Eglwys i fodolaeth i'r amcan mawr o hysbysu'r byd o gariad Duw yng Nghrist, a thrwy hynny i sicrhau parhad cenhadaeth ei Harglwydd. Yr hyn a fydd yn gwneud ei thystiolaeth yn effeithiol fydd undod ei haelodau, oherwydd heb iddynt fod yn un a chytun â'i gilydd ni fydd yn bosibl iddynt dystio mewn modd credadwy i gariad cymodlawn y Crist y tystiant iddo.

Er mai dwyn tystiolaeth i'r byd yw gwaith y disgyblion, ni fyddant yn aros yn y byd am byth, oherwydd y maent i fod gyda Christ (*gyda mi lle'r wyf fi*, 24) yn rhannu cariad a gogoniant tragwyddol Duw. Yma'n unig yn y Bedwaredd Efengyl y digwydd y term Iddewig *cyn seilio'r byd* (24); â'r ymadrodd â ni yn ôl ar unwaith at osodiad agoriadol y Prolog, 'Yn y dechreuad yr oedd y Gair...' (1:1). Am gyfnod o flynyddoedd yn unig (dim mwy na blwyddyn gwta yw awgrym Ioan, yn ôl rhai esbonwyr) y bu Iesu'n gwasanaethu ar y ddaear, ond mae Crist (y *Logos*) yn dragwyddol. Y mae'r Tad wedi ei garu, ac wedi ei ogoneddu, o'r dechreuad, a dyma'r gogoniant y bydd y disgyblion, ryw ddydd, yn ei rannu.

4. Adn. 25-26: *Gweddi Iesu ar i'w ddisgyblion fod yn ymwybodol o oblygiadau cariad Duw at Grist, ac o oblygiadau cariad Crist atynt hwy.*

Gwnaeth Iesu enw Duw yn hysbys i'r disgyblion, a bydd yn parhau i wneud hynny, er mwyn iddynt wybod i sicrwydd natur cymeriad a chariad Duw. Daw'r weddi i'w therfyn gyda'r erfyniad mawr ar i'r disgyblion gael eu meddiannu'n llwyr gan gariad Duw, ac ar i Iesu ei hunan fod *ynddynt hwy* (26) am byth. Ni all y groes, na hyd yn oed angau ei hunan, ddatod y cwlwm a ffurfiwyd rhwng Iesu a'r rhai y gwelodd Duw yn dda i'w *rhoi* (24) iddo.

18: 1-11   Bradychu a Dal Iesu

Hanes dioddefaint Iesu oedd y rhan gyntaf o ddraddodiad yr Efengyl i gymryd ffurf bendant. Yr oedd ym meddiant awduron yr Efengylau Cyfolwg ac Efengyl Ioan, fel ei gilydd, ddraddodiad cynnar, cyffredin am farwolaeth Iesu, gyda'r canlyniad bod mesur helaeth o gytundeb rhyngddynt wrth iddynt adrodd yr hanes am ddyddiau olaf Iesu o Nasareth. Dyma'r elfennau pwysig yn fersiwn Ioan, a gynhwysir ym mhenodau 18 a 19 o'i efengyl:

1. O'r dechrau i'r diwedd y mae Iesu'n feistr ar y sefyllfa. Y mae ganddo bob awdurdod yn ei feddiant, ac ef sy'n rheoli pob digwyddiad. Actorion yn y ddrama yw Caiaffas a Pilat. Mae Iesu'n cyflawni ewyllys Duw. Mae'n mynd i'w groes am fod ei 'awr' wedi dod, gan yfed y cwpan a roes y Tad iddo (18: 11).

2. Mae Iesu'n rhoi ei fywyd yn wirfoddol er iachawdwriaeth y byd. Nid oes neb yn cipio'i einioes oddi arno, yn groes i'w ewyllys; ef ei hunan sy'n dewis ei hoffrymu'n aberth (gw. 10: 18).

3. Fe â Iesu i'w groes fel brenin yn mynd i'w orsedd. Fe'i heneinir yn frenin ar aelwyd Bethania; y mae ei daith i mewn i ddinas Jerwsalem yn ddim llai na gorymdaith frenhinol; y mae'r Ymddiddanion Ffarwel a'r Weddi Offeiriadol yn pwysleisio'i oruchafiaeth dros ei wrthwynebwyr; yn yr ardd nid oes unrhyw awgrym o betrustod yn ei feddwl, nac o wewyr yn ei galon. Nid oes unrhyw amheuaeth ganddo pam y daeth i'r byd, na chwaith beth yw pwrpas mawr a chanolog ei fywyd.

4. Mae Iesu'n offeiriad sy'n offrymu aberth cyflawn a digonol dros bechod y byd. Nid yw'r gwaith yn cael ei adael ar ei hanner; fe'i gorffennir yn ogoneddus (19: 30).

Nant rhwng Jerwsalem a Mynydd yr Olewydd oedd *Cidron* (1). Ioan yn unig sy'n ei henwi. Aeth Iesu o'r oruwchystafell i un o'r gerddi preifat y tu allan i'r ddinas. Nid yw Ioan yn enwi Gethsemane; yr unig beth a wna yw sôn yn gwta am *ardd* (1b). Yr oedd Jwdas yn gyfarwydd â'r lle (oni fu yno ar fwy nag un achlysur yng nghwmni Iesu a'i ddisgyblion?), ac mae'n tybio y bydd yn fan cyfarfod i Iesu a gweddill y disgyblion ar y noson arbennig hon. Daw Jwdas â *mintai o filwyr* (3) gydag ef i'r fan. Yn ôl yr Efengylau Cyfolwg nid oedd a wnelo milwyr Rhufain â restio Iesu, ac mae'n debygol mai eu hadroddiad hwy sy'n gywir gan nad oedd neb wedi cysylltu hyd yma â Pilat. Yr hyn y mae Ioan yn awyddus i'w bwysleisio yw'r ffaith fod gan *bawb* (Iddewon a Rhufeiniaid, h.y. yr hil ddynol yn gyfan) ran yn y weithred o gymryd Iesu'n garcharor. Gair Groeg yw *mintai* am chwe chant o filwyr, uned yn y fyddin o dan awdurdod capten. Daethpwyd â milwyr ychwanegol i mewn i Jerwsalem adeg y Pasg er mwyn cadw trefn ar y dyrfa. Aelodau o heddlu'r deml oedd y *swyddogion* (3) a ymunodd â'r milwyr. Roeddent wedi eu harfogi am y rheswm bod Iesu'n cael ei ystyried yn chwyldröwr, ac roeddent yn cario *llusernau ac arfau* (3) am ei bod, o bosibl, yn noson gymylog, dywyll. Yn yr Efengylau Cyfolwg y mae Jwdas yn camu ymlaen i roi cusan i Iesu, er mwyn i'r gwŷr arfog gael ei adnabod, ond yn Ioan Iesu ei hunan sy'n cymryd y cam cyntaf. Ac yntau'n meddu ar wybodaeth oruwchnaturiol – *gwybod pob peth oedd ar fin digwydd iddo* (4) – â Iesu allan at y rhai a ddaethai i'w ddal, a gofyn yn blaen, *Pwy yr ydych yn ei geisio?* (4). Nid yw Iesu'n aros i'r milwyr ddod ato yntau; ef sy'n mynd atynt hwy, oherwydd ef sy'n rheoli'r sefylla, nid ei wrthwynebwyr. Y mae *Myfi yw* yn adn. 5, fel yn adn. 8, yn golygu yn syml, 'Myfi yw Iesu o Nasareth', ond yn adn. 6 y mae'n amlygiad o'i nerth a'i allu, ac yn cyfateb i'r enw dwyfol. Am fod ei elynion ym mhresenoldeb *Myfi yw* (*ego eimi*), maent yn *syrthio i'r llawr* (6), mewn ofnadwyaeth, yn union fel y darfu i Moses guddio ei wyneb wrth ganfod y berth yn llosgi heb ei difa, ac ymdeimlo â phresenoldeb Duw (Ex. 3: 6; cymh. Dat. 1: 17; 22: 8). Ni fyddai Iesu wedi ei restio oni bai ei fod ef ei hunan wedi caniatáu i hynny ddigwydd. Nid y milwyr sy'n ei ddwyn ymaith; ef sy'n dewis ei osod ei hunan yn eu dwylo, ar yr amod bod ei ganlynwyr yn cael mynd yn rhydd. Mae aberth Iesu'n fodd i sicrhau bywyd a rhyddid iddynt; y mae'r 'bugail da yn rhoi ei einioes dros y defaid' (In. 10: 11). Y mae *Ni chollais yr un o'r rhai a roddaist imi* (9) yn cyflawni yr hyn a ddywedwyd eisoes gan Iesu yn y Weddi Offeiriadol (gw. 17: 12).

Yn ei wylltineb, ac oherwydd ei orawydd i amddiffyn Iesu, doed a ddelo, fe gymer Pedr *y cleddyf* (10) oedd ganddo, ac ymosod ar was yr archoffeiriad. Gwaharddwyd cario arfau yn gyfan gwbl ar y Pasg; felly y mae cyfeiriad Ioan at gleddyf Pedr fel petai'n cadarnhau'r dyddiad a rydd yntau i'r Swper Olaf, h.y. yr oedd hyn oll yn digwydd ar y noson cyn y Pasg, a'r Pasg ei hun yn dilyn drannoeth, ar y dydd Gwener, gyda'r canlyniad na fyddai Pedr yn torri'r gyfraith wrth fod ag arf yn ei feddiant. Ond a wyddai Iesu ei fod â chleddyf yn ei feddiant sy'n gwestiwn arall, a phwysicach. Yn ôl Lc. 22: 38 yr oedd 'dau gleddyf' gan y disgyblion y noson honno. Yn wir, yn ôl A. B. Bruce y mae'n bosibl dehongli'r cymal Groeg gwreiddiol i olygu fod gan bob un o'r disgyblion gleddyf o dan ei glogyn, ac mai'r ofn fod y disgyblion i gyd wedi eu harfogi oedd i gyfrif am y ffaith fod mintai cyn gryfed yn hebrwng Jwdas ar ei siwrnai seithug. Yn wahanol i Ioan, nid yw'r Efengylau Cyfolwg yn enwi na Pedr na Malchus (o'r Hebraeg *melek* = brenin) yn y cyswllt hwn, ond y mae Luc (y meddyg) yn ychwanegu'r sylw bod Iesu wedi adfer y glust a'i rhoi yn ôl yn ei lle. Rhydd Iesu orchymyn digamsyniol i Pedr fod y cleddyf hefyd i'w osod yn ôl yn ei le (11), sy'n golygu (i) bod Iesu'n gwrthwynebu'r defnydd o drais, a (ii) nad yw Pedr i wneud dim i rwystro'r cynllun dwyfol. Yn yr Efengylau Synoptaidd blinir meddwl Iesu gan amheuaeth yng ngardd Gethsemane, a gweddïa ar i'r 'cwpan' fynd ymaith, os yw hynny'n bosibl. Yma y mae'r *cwpan* (11) yn gwpan y mae'r Tad wedi ei roi i Iesu, ac nid yw'n petruso dim a ddylai yfed ohono ai peidio, ac yfed ohono i'r gwaelod. Mae Iesu'n gwbl sicr o'i gam, ac nid yw'n gwamalu am eiliad.

18: 12-14 Iesu gerbron yr Archoffeiriad

Cymerir Iesu'n garcharor, a'i rwymo. Byddai'r *capten* (12) yn swyddog (*tribunus*) ym myddin Rhufain, a gofal ganddo am *fintai* (*cohort*) o filwyr. Bu *Annas* (13) yn archoffeiriad yn y cyfnod rhwng 6 a 15 OC, ond fe'i diswyddwyd gan y Rhufeiniwr, Valerius Gratus, a'i olynu gan ei fab-yng-nghyfraith Joseff Caiaffas. Yr oedd llawer o'r Iddewon mwyaf teyrngar yn anghymeradwyo ymyrraeth Rhufain yng nghrefydd eu cenedl, ac yn dal i ystyried Annas yn archoffeiriad. Dyma'r rheswm yr aethpwyd â Iesu ato ef yn gyntaf, ond ni allai neb llai na Chaiaffas ei hunan, yr archoffeiriad swyddogol, drosglwyddo Iesu i awdurdod Pilat (gw. adn. 24), iddo gael wynebu prawf sifil. Pilat, y swyddog Rhufeinig, oedd yr unig un a feddai'r hawl i ddedfrydu Iesu i farwolaeth.

18:15-18 Pedr yn Gwadu Iesu

Y mae'r pedair efengyl yn nodi i Pedr wadu Iesu deirgwaith, ond Ioan yn unig sy'n gwahanu'r gwadiad cyntaf (adn. 17) oddi wrth y ddau arall (adn. 25-27). Dengys Ioan fod dau brawf yn cyd-ddigwydd y noson honno, sef prawf Iesu a phrawf Pedr. Tybed pam y safodd Pedr *wrth y drws y tu allan* (16)? Mae'n dra phosibl ei fod yn eiddgar i glywed canlyniad y gwrandawiad, ond y mae hefyd yn bosibl ei fod yn disgwyl ymyrraeth ddwyfol a fyddai'n rhyddhau Iesu. Dygir Pedr i mewn i'r cyntedd (*atrium*) o ganlyniad i ymyriad y *disgybl arall* (16), er ei bod yn bosibl cyfieithu, ' a daeth hi (sef y forwyn) â Pedr i mewn'. Mae'r ffaith fod morwyn yn gwarchod y drws allanol yn awgrymu i'r prawf gael ei gynnal mewn tŷ preifat.

Pwy yn union yw'r *disgybl arall* (16)? Fe'i huniaethir weithiau â'r Disgybl Annwyl. Os felly, mae'n dilyn nad Ioan, fab Sebedeus, yw'r Disgybl Annwyl, oherwydd yr oedd yntau hefyd, fel Pedr, yn bysgotwr o Galilea, a byddai ei obaith yntau, fel ei gyd-ddisgybl, o gael mynd i mewn i dŷ yr archoffeiriad yn bur annhebygol. Sut, felly, y cafodd Pedr fynd i mewn i le mor bwysig ac urddasol? Ai trwy ddylanwad disgybl o Jerwsalem, a oedd, o bosibl, yn perthyn i'r archoffeiriad? Mae'n amlwg fod y 'disgybl arall' yn adnabyddus fel un o ddilynwyr Iesu, ac mai hyn sy'n egluro cwestiwn y forwyn, *Tybed a wyt tithau'n un o ddisgyblion y dyn yma*? (17). Fe'i hatebir gan Pedr yn y modd nacaol, a dyna yntau, am y waith gyntaf, yn gwadu adnabyddiaeth o'i Arglwydd.

18:19-24   Yr Archoffeiriad yn Holi Iesu

Yn *nysgeidiaeth* (19) Iesu yr oedd diddordeb Annas. Etyb Iesu nad yw'n deall pam fod Annas yn ei holi ynglŷn â'i genadwri, gan iddo ar hyd yr amser siarad yn agored yn y synagogau ac yn y deml, heb geisio celu dim o'r hyn oedd ganddo i'w ddweud. Onid oedd ei neges yn hysbys i bawb? Buasai holi unrhyw un â'i clywodd yn profi hynny (21). Yn ôl deddf Rhufain nid oedd hawl dwyn perswâd ar garcharor i gyflwyno unrhyw dyst-iolaeth a fyddai'n arwain at ei brofi'n euog. Rhoddwyd *cernod* (22) iddo gan un o swyddogion yr archoffeiriad, nid er mwyn achosi dolur, ond er mwyn ei fychanu a'i sarhau. Y mae ymateb Iesu'n ddeifiol: os yw'n euog, ble mae'r dystiolaeth i brofi hynny?; os yw'n ddieuog, pam ei gernodio? Nid oedd gan Annas nac unrhyw un o'i osgordd ateb i'r gofyniad, ac felly danfonir Iesu at Caiaffas, yr archoffeiriad swyddogol.

18: 25-27   Pedr yn Gwadu Iesu Eto

Mae rhai o'r cwmni a oedd wedi ymgynnull o gwmpas y tân golosg yn holi Pedr ynghylch ei gysylltiad â Iesu. Y mae'n gwadu unrhyw gysylltiad – fel y gwnaeth i'r forwyn. Y mae un o weision yr archoffeiriad, perthynas i Malchus, yn amau iddo weld Pedr gyda Iesu yn yr ardd (mae'n rhaid bod y gŵr hwn yn un o'r fintai a aeth i restio Iesu), ond unwaith eto ni chyffesa Pedr. Yn fwy na thebyg utgorn a seinid ar adegau penodol o'r dydd ar furiau dinas Jerwsalem, i'r pwrpas o ddynodi amser, oedd *y ceiliog* (27); hwn oedd yr enw cyffredin a roed ar yr offeryn a ddefnyddid i'r pwrpas.

18: 28-38   Iesu gerbron Pilat

O ran y prif elfennau, y mae'r adroddiad yn Ioan yn debyg iawn i eiddo Marc: (i) y mae Pilat yn croesholi Iesu, ac mae'n amharod i'w gondemnio; (ii) y cyfeiriad at yr arfer o ollwng carcharor yn rhydd adeg gŵyl y Pasg – arferiad nad oes fawr o dystiolaeth ddogfennol i'w gadarnhau; (iii) yr ymgom rhwng Pilat a Iesu ar natur brenhiniaeth; (iv) y fflangellu, y gwawdio, a dadwrdd y dyrfa; (v) Pilat yn traddodi Iesu i'w groeshoelio. Ym marn C.K. Barrett y mae Ioan yn defnyddio Marc fel ffynhonnell yn y fan hon, ond y mae esbonwyr eraill yn amau a oedd gan Ioan gopi o Efengyl Marc yn ei law a'i fod wedi pwyso'n drwm arni wrth lunio ei adroddiad yntau o'r dioddefaint. Mae'n fwy tebygol bod y ddau efengylydd (yn annibynnol ar ei gilydd) â'r un traddodiad cynnar yn eu meddiant.

Llywodraethwr Jwdea rhwng 26 a 36 OC oedd Pontius Pilat. Yr oedd ei bencadlys yng Nghesarea ond mynnai ei bresenoli ei hun yn Jerwsalem adeg y Pasg rhag ofn y codai terfysg yn y ddinas. Yr oedd yn ormesol a chreulon, ac fe'i symudwyd o'i swydd gan yr awdurdodau yn Rhufain oherwydd y driniaeth lem a gafodd y Samariaid o dan ei oruchwyliaeth. Palas neu breswylfa Pilat yng nghaer Antonia oedd y *Praetoriwm* (28). Pe bai'r Iddewon wedi mynd i mewn i'r Praetoriwm, a oedd, wrth reswm, yn ganolfan genhedlig, byddent wedi eu halogi eu hunain yn seremonïol, a thrwy hynny eu cau eu hunain allan o ddathliadau'r Pasg. Felly daeth Pilat allan atynt hwy, a'u holi am natur eu cyhuddiad yn erbyn Iesu (29). Amhendant a niwlog oedd yr ateb a gafodd ganddynt. Onid oedd y ffaith fod Iesu'n cael ei dywys gerbron Pilat yn profi, ynddi ei hun, ei fod yn ddrwgweithredwr! Mae'n amlwg fod Pilat yn awyddus i'r achos a oedd, wedi'r cyfan, yn ei olwg yntau, yn gweryl Iddewig digon dibwys, gael ei brofi mewn llys Iddewig (31). Eithr rhyw ddeugain mlynedd cyn i'r deml gael ei dinistrio collodd yr Iddewon yr hawl i ddedfrydu troseddwr i'r gosb eithaf, a hyn sydd i gyfrif am eu hateb, *Nid yw'n gyfreithlon i ni roi neb i farwolaeth* (31). (Mae'n ddiddorol sylwi mai'r Sanhedrin sy'n condemnio Steffan i gael ei labyddio, sef dull arferol yr Iddew o roi troseddwr i farwolaeth, gw. Act.6: 12). Gan fod Iesu mor boblogaidd ymhlith y werin bobl, a'r gefnogaeth iddo yn un eang, mae'n bosibl mai hynny oedd i gyfrif am awydd yr awdurdodau Iddewig i gael llys Rhufeinig i'w gyhoeddi'n euog. Ni chyfeiria Ioan at unrhyw gondemniad swyddogol ar Iesu o du'r Sanhedrin.

Y mae Pilat yn dychwelyd i'r Praetoriwm, ac y mae'r drafodaeth gyntaf rhyngddo a Iesu ỹn dilyn. Myn Iesu wybod ai Pilat ei hunan sy'n holi, *Ai ti yw Brenin yr Iddewon?* (33), neu, ynteu, a yw'n pwyso ar dystiolaeth eraill, sef aelodau'r Sanhedrin? Y mae sylw sarhaus Pilat, *Ai Iddew wyf fi?* (35) yn adlewyrchu'n glir y casineb hiliol a deimlai Rhufeiniwr balch, hunanbwysig, tuag at y genedl Iddewig. Eglura Iesu nad yw ei deyrnas yntau *o'r byd hwn* (36). (Nid at uned ddaearyddol ag iddi ffiniau penodedig, y cyfeiria'r gair *teyrnas* (*basileia*) yn y cyswllt hwn, ond at deyrnasiad Iesu yng nghalon dyn.) Pe bai teyrnas Crist yn un fydol a materol, fel eiddo Rhufain, buasai ef a'i ddisgyblion wedi gwrthsefyll eu gelynion Iddewig â grym milwrol, ond ni thyciai hynny ddim gan nad yr un yw natur a chyfansoddiad teyrnas(iad) Iesu ag eiddo teyrnasoedd y ddaear. Hyn oedd i gyfrif am ei orchymyn i Pedr i roi ei gleddyf yn ôl yn y wain (18: 11). Nid y byd hwn, a'i rym a'i rwysg, na chwaith yr awydd i dra-arglwyddiaethu dros y diamddiffyn, yw *tarddle* (36) teyrnas Crist; y mae ei deyrnas ef wedi ei gwreiddio mewn cariad, ac yn y gwirionedd, ac y mae ei tharddiad yn Nuw.

Yr oedd yn dilyn, felly, bod Iesu, a hynny ar ei gyfaddefiad ei hunan, yn frenin wedi'r cyfan. Ni all Pilat gelu ei syndod: *Yr wyt ti yn frenin, ynteu?* (37). Y mae'r pwyslais ar ail berson unigol y rhagenw personol. Ni welai Pilat sut y gallai'r cymeriad truenus a safai o'i flaen fod yn frenin. Nid yw Iesu'n gwadu ei fod yn frenin, ond eiddo Pilat yw'r diffiniad: *Ti sy'n dweud ...* (37). Unwaith eto y mae'r pwyslais ar y rhagenw. Y mae diffiniad Pilat a diffiniad Iesu o hanfodion 'brenhiniaeth' yn gwbl wrthgyferbyniol i'w gilydd. Ni ddaeth Iesu i'r byd i ymorchestu yn ei awdurdod, ac i ymfalchïo yn ei allu, ond yn hytrach i ddatguddio Duw, a thystio i'r gwirionedd, ac y mae'r sawl sy'n cydnabod ffynhonnell ddwyfol y gwirionedd yn ei gydnabod yntau, ac yn gwrando ar ei lais (37c). Y mae Pilat yn adweithio trwy holi beth yn union yw natur gwirionedd, heb sylweddoli fod yr Hwn sy'n 'ffordd', yn 'wirionedd' ac yn 'fywyd' (gw. 14: 6), yn sefyll o'i flaen. Yn ôl diffiniad Ioan, yr hyn yw 'gwirionedd' yw gwir adnabyddiaeth o Dduw, ac ymrwymiad i weithredu'n unol â'i ewyllys.

18: 38b - 19: 16 Dedfrydu Iesu i Farwolaeth

Yng ngolwg Pilat yr oedd Iesu'n ddieuog o'r cyhuddiad yn ei erbyn (38b), ac y mae'n ceisio ffordd i'w ryddhau. Y mae amheuaeth ynghylch dilysrwydd hanesyddol yr arferiad o ollwng un carcharor yn rhydd ar y Pasg – nid oes sôn am hyn mewn unrhyw ddogfen y tu allan i'r efengylau. Gwrthodir Iesu gan yr Iddewon am nad ef oedd y math o frenin yr oeddent yn ei ddisgwyl. Ystyr *Barabbas* (40) (*bar abba*) yw 'mab y tad'; ei enw arall oedd 'Iesu'. Y mae *lleidr* (40) yn ddof; yr hyn oedd Barabbas mewn gwirionedd oedd meseia gwleidyddol, peryglus ac arweinydd gwrthryfel yn erbyn y Rhufeiniaid. Yr oedd yn llofrudd, a disgwyliai gael ei ddienyddio.

O ystyried fod Pilat yn dal heb ei argyhoeddi ynghylch euogrwydd Iesu mae'n rhyfedd iddo drefnu iddo gael ei fflangellu (19: 1) – gweithred greulon a oedd yn rhan arferol o weinyddiad y gosb eithaf. Yn aml byddai'r fflangell ledr wedi ei rhannu'n dair, a darnau o asgwrn neu fetel wedi eu clymu ar y tri stribyn, er mwyn rhwygo'r croen ac achosi poenau dirdynnol i'r troseddwr. Dilynwyd hyn gan y gwawdio cyhoeddus. Mae'n bosibl nad dull o boenydio oedd y *goron o ddrain* (2), ond arwydd o sarhad ar yr hwn a ymhonnai fod yn frenin. Efallai nad oedd y drain yn gwthio i mewn i'r talcen, gyda'r bwriad o dynnu gwaed ac achosi dolur, ond, yn hytrach, eu bod yn ddrain hirion (math sy'n tyfu'n ddigon cyffredin ym Mhalesteina), a osodid i fyny'n unionsyth ar ffurf cylch er mwyn dynwared coron. Yr un modd yr oedd y *fantell borffor* (2) yn fodd i wawdio'r esgus tywysog, a'r *cernodio* (3) yn ddull pellach o gamdrin yr ymrithiwr digywilydd. Mae'n amlwg bod Ioan wedi dibynnu ar Marc am lawer o'r manylion hyn, ar wahân i'r ffaith ei fod yntau'n ychwanegu un olygfa ddramatig, sef arddangos Iesu, ac yntau wedi ei wisgo mewn rhwysg brenhinol, i'r dyrfa y tu allan i'r Praetoriwm. Y mae'r elfen eironig yn y naratif yn gwbl amlwg, ac y mae Ioan yn gwneud defnydd llawn ac effeithiol ohoni. Dyma ddirmygu smaliwr o frenin sydd, mewn gwirionedd, yn *Frenin yr Iddewon* (3), yn 'Frenin brenhinoedd, ac yn Arglwydd arglwyddi' (Dat. 19: 16). Ceir eironi pellach yn natganiad Pilat, *Dyma'r dyn* (5) (Lladin, *Ecce homo*), gan fod yr hwn a ddirmygir fel dyn, yn 'ddyn' mewn gwirionedd, yn ddyn fel y bwriadodd Duw i ddyn fod. O ganlyniad i'r 'cwymp' nid oedd Adda, na'r un disgynnydd iddo, yn 'wir ddyn' mwyach, ond yn Iesu y mae dynoliaeth ar ei ffurf uchaf yn cael ei hamlygu. Daeth y Gair yn gnawd yn yr ystyr dyfnaf posibl. (Mae'n bosibl mai'r hyn a olygodd Pilat oedd, 'Ai'r dyn truenus hwn yw'r un yr ydych yn ei ddwyn ger fy mron fel pe bai'n ddihiryn peryglus?', ond y mae Ioan yn bachu'n syth ar arwyddocâd diwinyddol ei eiriau.) Gwyddai Pilat o'r gorau na feddai'r Iddewon ar yr awdurdod i groeshoelio Iesu, ac y mae'r ystyriaeth honno'n sicr yn lliwio'i gynnig i'r Iddewon, *Cymerwch ef eich hunain a chroeshoeliwch* ... (6). Mae'n amlwg ei fod yntau o'i gof nad oeddent yn barod i ryddhau Iesu, ac y mae'n dadlau'n daer â hwy am y trydydd tro, gan wneud ei safbwynt ei hun yn gwbl ddealladwy ... *oherwydd nid wyf fi'n cael achos yn ei erbyn* (6).

Yn fwy na thebyg cafodd Pilat achos i ailystyried ei agwedd at Iesu, ynghyd â'i awydd i'w ollwng yn rhydd, pan glywodd ddadl yr Iddewon nad oedd yn bosibl rhoi pardwn i Iesu gan iddo dorri'r Gyfraith Iddewig trwy ei alw ei hun yn *Fab Duw* (7) (cymh. 5: 18; 10: 33, 36). Sail grefyddol, felly, oedd i wrthwynebiad y Sanhedrin, ond ar unwaith sylweddolodd Pilat bod ymhlygiadau gwleidyddol ynghlwm wrth y cyhuddiad, oherwydd yr oedd *Divi Filius* (Mab Duw) yn un o'r teitlau a roed ar yr ymerawdwr, ac os oedd Iesu, mewn unrhyw fodd, yn herio awdurdod pennaeth yr Ymerodraeth Rufeinig ni ellid delio ag ef yn ysgafn (8). Hyn a arweiniodd at yr ail ymgom rhwng Iesu a Pilat, ond prin fod Iesu wedi cydweithredu â'i holwr gan iddo wrthod ateb y cwestiwn o ble yr hanai? (9).Yr oedd datganiad Pilat fod ganddo awdurdod i ryddhau Iesu, ynghyd ag awdurdod i'w groeshoelio (10), yn berffaith gywir. Onid ef oedd llywodraethwr Palesteina, a holl rym gweinyddol Rhufain yn gorwedd y tu ôl i'w ddyfarniadau? Ac eto, er yr holl allu a ymddiriedwyd iddo, awdurdod eilradd a feddai. Y mae gan Dduw bob awdurdod, ac y mae Iesu'n Fab iddo; eiddo Iesu yr awdurdod cyflawn, uchaf. Ni fyddai gan Pilat unrhyw hawl ar Iesu, oni bai fod yr hawl honno wedi ei rhoi iddo *oddi uchod* (11), a bod Duw yn caniatáu iddo ddedfrydu ei Fab i farwolaeth. Nid yw'n hawdd penderfynu pwy yn union a olyga Iesu wrth sôn am *yr hwn a'm trosglwyddodd i ti* (11b). Ai Jwdas, ynteu'r Iddewon, neu, o bosibl, Caiaffas sydd ganddo mewn golwg?

Dylid cofio nad bradychu Iesu i Pilat a wnaeth Jwdas, ond i'r Iddewon.

Unwaith eto y mae Pilat yn ceisio rhyddhau Iesu (12a), ond mae'r ddadl yn 12b yn lliwio ei benderfyniad terfynol. Os bydd yn rhyddhau Iesu ni bydd yn *gyfaill* (h.y. yn ddiwyro ei ffyddlondeb) i Gesar, a bydd modd ei gyhuddo o frad a diffyg teyrngarwch. Mae'r Iddewon yn chwarae ar ofnau Pilat (a bortreadir gan Ioan fel cymeriad gwan, di-asgwrn-cefn, un yr aeth amgylchiadau'n drech nag ef, ac un yr oedd Iesu, y mae'n amlwg, â mesur o gydymdeimlad tuag ato), ac yn tanlinellu'r goblygiadau gwleidyddol oedd i achos Iesu. Daw Pilat â Iesu allan i sefyll ar y *Palmant* (13) (Hebraeg *Gabbatha*, sef y cyntedd agored o flaen y Praetoriwm lle cyhoeddwyd y ddedfryd), tra bo yntau'n eistedd ar *y brawdle*, y sedd lle'r eisteddai wrth gyhoeddi tynged carcharor. Nodir y dydd a'r awr yn ofalus. Yr oedd yn ganol dydd ar y diwrnod cyn y Pasg (sef y *Dydd Paratoad*, 14), a oedd yn dechrau am 6 o'r gloch y noson honno. I ninnau heddiw byddai hyn i gyd yn digwydd ar yr un diwrnod, ond i'r Iddewon yr oedd yn ddechrau'r diwrnod canlynol. Felly, yn ôl Ioan, traddodwyd Iesu i'w groeshoelio ganol dydd, ar awr y Paratoad, sef ar yr union adeg pan oedd ŵyn y Pasg yn cael eu dethol a'u lladd ar gyfer gwledd y Pasg y noson honno. Yn ôl adroddiad Marc (15: 25) croeshoeliwyd Iesu am 9 o'r gloch y bore, a chanol dydd daeth tywyllwch dros ŵyneb yr holl wlad. Ymddengys amseriad y croeshoelio yn ôl fersiwn Ioan yn llawer mwy tebygol na'r hyn a geir yn Marc. Y mae ateb y prif offeiriad i gwestiwn Pedr a fynnent iddo groeshoelio eu brenin – *Nid oes gennym frenin ond Cesar* (15) – yn gyfystyr â gwrthodiad swyddogol, terfynol ar ran arweinwyr crefyddol Israel o'r Brenin Meseianaidd.

Er bod Ioan a Marc yn ymdebygu i'w gilydd yn eu hadroddiadau o'r croeshoeliad, y mae rhai elfennau unigryw yn fersiwn Ioan, e.e.:

(i) Y mae Iesu'n *cario ei groes ei hun* (17). Ni chyfeiria Ioan at Simon o Gyrene, y cymwynaswr a orfodid i ysgwyddo croes Iesu yn ôl yr Efengylau Synoptaidd (Mc. 15: 21; Mth. 27: 32; Lc. 23: 26). Iesu'n unig a all ddwyn baich pechodau'r byd. Gair Aramaeg am 'benglog' yw *Golgotha* (17); mae'n bosibl i'r bryncyn gael yr enw hwn am ei fod, o ran siâp, yn ymdebygu i benglog ddynol. Nid yw ei leoliad yn sicr; yn ôl traddodiad yr oedd y tu allan i furiau Jerwsalem, i gyfeiriad y gogledd-orllewin.

(ii) Y mae Pilat yn gwrthod newid geiriad *y teitl* (19) ar y groes. Yr enw Rhufeinig arno oedd *titulus*, sef yr hysbysfwrdd pren a osodid uwchben y trawsbren ar y groes i nodi tri pheth, sef enw a chyfeiriad y croeshoeliedig, ynghyd â natur y drosedd yr oedd yn euog ohoni. Yn achos Iesu, nodir ei enw, *Iesu*; ei gyfeiriad, *o Nasareth*; a'i drosedd, *Brenin yr Iddewon*, h.y. iddo honni bod yn arweinydd ei genedl. Ioan hefyd yw'r unig un sy'n cyfeirio at y tair iaith yr ysgrifennwyd y manylion hyn ynddynt, sef Hebraeg neu Aramaeg (iaith crefydd, ac iaith genedlaethol yr Iddew); Groeg (iaith dysg, diwylliant a masnach, a'r iaith ryng-genedlaethol); a Lladin (iaith biwrocratiaeth a gweinyddiaeth).

(iii) Wrth sôn am y milwyr yn bwrw coelbren am ddillad Iesu, y mae Ioan yn dyfynnu Salm 22: 18 yn llawn (aralleiriad sydd yn Marc). Yr oedd y pedwar milwr a oedd yn gwarchod y groes â hawl ganddynt i'r dillad; maent yn eu rhannu yn eu plith, ac eithrio'r *got* a oedd *wedi ei gweu o'r pen yn un darn* (23). Fel y gellid disgwyl, yr oedd i hyn oll arwyddocâd diwinyddol mawr yng ngolwg Ioan. Yn ôl Lef. 21: 10 nid oedd yr *effod* (sef gwisg ddiwnïad yr archoffeiriad) i'w rhwygo mewn unrhyw fodd; felly hefyd wisg yr Archoffeiriad Mawr. Hefyd, y mae'r fantell ddiwnïad yn troi'n ddarlun o undod diranedig yr Eglwys. Ac yn ddiau, gwelai Ioan y wisg yn symbol o gymeriad y sawl a'i gwisgai, oherwydd fel ei fantell yr oedd Iesu ei hunan yn unplyg a chyflawn, heb fod unrhyw rwyg neu anghysondeb yn tarfu ar ei bersonoliaeth. Roedd ei ufudd-dod i Dduw yn ddigymrodedd a pherffaith (gw. 4: 34).

(iv) Y mae Iesu'n cyflwyno Mair ei fam i'r Disgybl Annwyl, iddynt fod yn fam ac yn fab i'w gilydd o'r dydd hwnnw ymlaen. Ni cheir unrhyw gyfeiriad at hyn yn yr adroddiad Synoptaidd. Awgrymwyd fod Mair (*dy fam*) yn y fan hon yn cynrychioli Iddewiaeth, yr hen grefydd gyfundrefnol sydd yn awr wedi ei disodli, tra bo Ioan (*dy fab*) yn perthyn i'r ffydd newydd a gynigir gan Iesu. Y mae gan Gristionogaeth 'fam' (y mae ei gwreiddiu'n ddwfn yn yr Hen Destament), a lle'r mab mabwysiedig, etifedd y bywyd newydd yng Nghrist, yw ei pharchu a'i gwarchod. Dywed Marc (15: 40) fod y gwragedd wedi gwylio o hirbell, ond yn ôl Ioan maent *yn ymyl croes Iesu* (25). *Mair, gwraig Clopas* (25) oedd mam Iago a Joses. Cafodd *Mair Magdalen* ei henw o'i thref gynefin, sef Magdala, tref yng Ngalilea ar lan orllewinol Môr Tiberias.

(v) Wrth sôn am y gwin sur, a syched Iesu (enghraifft arall o bwyslais Ioan ar ddynoliaeth Iesu; cymharer Iesu'n blino ar ôl ei daith i Samaria, yn sychedu wrth ffynnon Jacob; yn wylo wrth fedd Lasarus) y mae Ioan yn dehongli hyn yn nhermau'r Hen Destament – *er mwyn i'r Ysgrythur gael ei chyflawni* (28). (Gw. Salm 22: 15; 69:21, sef dwy Salm Feseianaidd.) Planhigyn byr, a dyfai i uchder o ryw 27 modfedd, oedd *isop* (29). 'Gwialen' yw'r gair sydd gan

Marc, a buasai hynny'n well i'r pwrpas a nodir yn y fan hon. Mae'n sicr bod Ioan yn ymwybodol o'r ffaith y defnyddid cangen isop adeg y Pasg, i'w throchi yng ngwaed yr oen a aberthid ac yna i daenu'r gwaed ar gapan y drws, yn arwydd o waredigaeth a rhyddhad.

(vi) Nid yw Ioan yn cyfeirio at y rhai oedd yn sefyll gerllaw yn gwawdio Iesu (gw. Mth. 27: 39-44; Lc. 23: 35-38).

(vii) Yn lle'r gri o wrthodiad ('Eloï, Eloï, lema sabachthani', sef 'Fy Nuw, fy Nuw, pam yr wyt wedi fy ngadael?, Mc. 15: 34), yr hyn a geir yn Efengyl Ioan yw datganiad cyhoeddus Iesu bod ei waith wedi ei gwblhau – *Gorffennwyd* (30). Gellir ystyried y cyhoeddiad hwn yn ganolbwynt Efengyl Ioan, gan fod yr un gair hwn yn crynhoi ynghyd y stori ryfeddol sydd gan yr awdur i'w hadrodd. Daeth y Gair yn gnawd er mwyn sicrhau iachawdwriaeth dyn, ac yn awr, ar y groes, y mae'r gwaith mawr hwnnw wedi ei gyflawni. I Ioan, nid colled yw'r groes, colled y mae'n rhaid ei dadwneud fore'r Pasg; y mae'r groes ei hun yn fuddugoliaeth. Rhaid sôn, felly, nid yn unig am fuddugoliaeth yr atgyfodiad ond hefyd am oruchafiaeth y groes. Wrth farw y mae Iesu'n gorchfygu'r pwerau a'i gwrthwyneba. Cyfeirio a wna *rhoi i fyny ei ysbryd* (30) at ysbryd dynol Iesu.

19: 31-37 Trywanu Ystlys Iesu

Yr oedd dydd y croeshoelio yn *ddydd Paratoad* (31), h.y. yn ddydd cyn y Saboth. Dywedai'r Gyfraith fod yn rhaid symud corff troseddwr, a'i gladdu, cyn machlud haul (Deut. 21: 22), a chan fod y Saboth yn dechrau am 6 o'r gloch y noson honno nid oedd amser i'w wastraffu. Mewn rhai achosion, os oedd y troseddwr yn llusgo marw am hir amser ar y groes, defnyddid gordd i dorri ei goesau a thrwy hynny prysuro'i farwolaeth. Yr enw swyddogol ar yr arferiad hwn oedd *crurifragium*, ac weithiau fe'i defnyddid fel cosb ychwanegol. Yn achos Iesu nid oedd angen gwneud hyn gan *ei fod ef eisoes yn farw* (33), sylw sydd yn sicr yn cyfeirio'n ôl at yr hyn a ddywedir am oen y Pasg yn Ex. 12: 46, '...ac nid ydych i dorri'r un asgwrn ohono', ac a ddyfynnir yn awr yn adn. 36. Yn ôl amodau'r Gyfraith yr oedd yn rhaid i oen y Pasg fod yn gyfan a di-nam, a dyma union gyflwr corff Iesu, sef oen y Pasg Cristionogol (cofier am ddatganiad Ioan Fedyddiwr yn 1: 29, 36), ar y groes. Felly, yn hytrach na thorri gliniau Iesu, y mae milwr yn trywanu ei ystlys â gwaywffon, ac o'r clwyf fe red allan waed a dŵr. Ioan yn unig sy'n cyfeirio at y digwyddiad hwn, ac unwaith eto y mae'n awyddus i bwysleisio'r ffaith fod yr Ysgrythur yn cael ei chyflawni. Y tro hwn y mae'r cyfeiriad i'w weld yn Sech. 12: 10, '... ac edrychant ar yr un a drywanwyd ganddynt, a galaru amdano fel am unig-anedig, ac wylo amdano fel am gyntaf-anedig', darlun, o bosibl, o broffwyd neu gymeriad meseianaidd a ferthyrir rywbryd yn y dyfodol. Wrth ddarlunio'r milwr yn trywanu corff Iesu y mae Ioan hefyd yn tanlinellu'r ffaith fod Iesu yn wir wedi marw ar bren y groes; nid ffugio'i farwolaeth a wnaeth, na chymryd arno ei fod yn ddioddef angau loes. Yr oedd Iesu, y Gair a wnaed yn gnawd, wedi byw a marw fel dyn – gwir ddyn – ac felly'n brofiadol o'r holl ystod o brofiadau a ddaw i ran yr unigolyn yn ystod ei rawd ddaearol, gan gynnwys marwolaeth ei hun. Wrth bwysleisio hyn yr oedd Ioan yn ceisio gwrthsefyll dylanwad Docetiaeth, yr heresi beryglus a ddysgai ei bod yn gwbl amhosibl i Dduw ymgnawdoli, ac felly mai esgus bod yn ddyn a wnaeth Iesu, ac mai rhith yn unig oedd ei gorff dynol. Y mae *gwaed* a *dŵr* yn dermau pwysig yn yr efengyl hon. Maent yn symbolau o fywyd (e.e., Iesu yw'r 'dŵr bywiol'), ac y mae'r awdur yn pwysleisio, felly, bod Iesu, wrth farw, yn cynnig i ddynion fywyd tragwyddol. Y maent hefyd yn elfennau canolog yn ordinhadau'r Cymun a'r Bedydd.

Y mae adn. 35 fel pe bai mewn cromfachau. Gellir dyfalu mai'r *un a welodd y peth* yw'r Disgybl Annwyl, ond ni ellir bod yn sicr am hyn. Pwy bynnag ydoedd, fe *welodd*, ac y mae'n *dwyn tystiolaeth*, ac y mae'n gwybod fod yr hyn a ddywed yn eirwir, a'i dystiolaeth, felly, yn sail ddilys i ffydd – *a gallwch chwithau felly gredu*. Y mae'r rhagenw *ef* yn amwys: gall gyfeirio at (i) y tyst ei hunan, neu (ii) awdur yr efengyl, ond ni ddywedir mai'r tyst yw awdur y llyfr, ond yn unig mai ef a gyflwynodd y darn hwn o wybodaeth sy'n gynwysedig yn yr efengyl.

19: 38-42 Claddu Iesu

Yn ôl y Gyfraith Iddewig yr oedd yn rhaid claddu corff marw cyn nos; tueddau yr awdurdodau Rhufeinig, ar y llaw arall, oedd gadael i gorff y croeshoeliedig hongian a dihoeni am ddyddiau ar y pren, yn rhybudd i unrhyw ddarpar droseddwr, ac yn atalfa rhag iddo gael ei demtio i gyflawni trosedd debyg. Dyn o statws uchel yn Jerwsalem oedd *Joseff o Arimathea* (roedd Arimathea yn ddinas o faint yn Jwdea), aelod o'r Sanhedrin a ddaeth yn ddisgybl dirgel i Iesu. Er bod *ofn yr Iddewon* arno (38), ac mai hynny oedd i gyfrif am y ffaith ei fod yn cadw ei berthynas â Iesu o dan orchudd, roedd ei gais i Pilat yn hawlio dewrder anghyffredin, oherwydd trwy hyn yr oedd yn datgan yn agored ei deyrngarwch i Iesu, ac felly'n peryglu ei fywyd ei hunan. Ioan yn unig sy'n sôn am Nicodemus yn y cyd-destun hwn, yntau hefyd, erbyn hyn, yn ddisgybl cudd. Y mae'r ddau yn gosod corff Iesu mewn bedd newydd a naddwyd o'r graig mewn gardd gyfagos yn ymyl Golgotha. Claddwyd Iesu *yn unol ag arferion claddu'r Iddewon* (40); yr hyn oedd yn anarferol oedd maint yr ennaint, *tua chan pwys o fyrr ac aloes yn gymysg* (39), mesur a fyddai wedi hawlio swm tra sylweddol o arian i'w brynu. Ioan yn unig sy'n sôn am y *llieiniau* (40). Yr arfer, yn ôl y dull Iddewig o gladdu'r meirw, oedd rhwymo'r corff mewn llieiniau, a'r peraroglau y tu mewn iddynt. Ioan hefyd yw'r unig efengylydd i gyfeirio at *yr ardd* (41), sef gardd neu winllan breifat, yn fwy na thebyg, a oedd yn eiddo naill ai i Joseff, neu i

Nicodemus, neu i gyfaill iddynt. Roedd y ffaith fod y bedd yn *newydd* (41), yn ei wneud yn addas ar gyfer claddu corff Iesu. Hwyrach bod yr hyn a gofnodir am y Gwas Dioddefus yn Es. 53: 9 yng nghefn meddwl yr awdur: 'Rhoddwyd iddo fedd gyda'r rhai anwir, a beddrod gyda'r rhai drygionus, er na wnaethai gam â neb ac nad oedd twyll yn ei enau'. Er mai 'y rhai drygionus' a geir yn y BCN, y mae 'y rhai cyfoethog' hefyd yn ddarlleniad posibl. Yn sicr fe gladdwyd Iesu ag urddas ac anrhydedd, hynny gan wŷr cyfoethog a fynnai sicrhau'r gorau iddo wrth roi ei gorff i orwedd.

20: 1-10 Atgyfodiad Iesu

Y mae pob un o'r efengylau'n gorffen gydag adroddiad am atgyfodiad Iesu, digwyddiad sy'n brawf terfynol o'i fuddugol-iaeth ar angau a drygioni. Y mae ei ymddangosiadau'n cadarnhau ffydd ynddo fel Mab Duw. Detholodd Ioan yn ofalus yr hanesion a gynhwysir ganddo am yr atgyfodiad, er mwyn iddynt dystio, bob un, i allu a gogoniant Iesu. Yr hyn sy'n drawiadol ac yn unigryw am naratif yr atgyfodiad yn Ioan yw bod esgyniad Iesu at y Tad, ynghyd â dyfodiad yr Ysbryd Glân, yn digwydd ar yr un diwrnod â'r atgyfodiad ei hunan (sylwer ar 20: 17b: 'yr wyf **yn** esgyn'; a thrachefn ar 20:22: '**Derbyniwch** yr Ysbryd Glân'). Y mae hyn yn wahanol i adroddiad Luc lle ceir cyfnod o ddeugain diwrnod rhwng yr atgyfodiad a'r esgyniad, a hanner can diwrnod rhwng y Pasg a'r Pentecost.

Tra oedd hi *eto'n dywyll* (1 – cofier am y modd y mae Ioan yn cyferbynnu'n gyson rhwng tywyllwch a goleuni), ar *y dydd cyntaf o'r wythnos* (1), sef ar y bore Sul, daw Mair Magdalen at y bedd, i fwrw'i hiraeth ac i alaru yn ymyl beddrod ei Harglwydd. Ceir yr unig gyfeiriad blaenorol ati yn 19: 25; nid yr un yw hi â Mair Bethania. Mae'n cyflwyno adroddiad i Simon Pedr a'r *disgybl … yr oedd Iesu'n ei garu* (2) bod y maen a osodwyd wrth agoriad y bedd wedi ei symud. Roedd hithau'n amau bod corff

Iesu wedi ei ladrata (2, 13), trosedd eithaf cyffredin yn y cyfnod hwn. (Dygid cyrff meirwon er mwyn i ladron gael gafael ar y modrwyau aur a'r gemau a'r arteffactau gwerthfawr a gleddid gyda hwy.) Y 'disgybl arall' oedd y rhedwr cyflymaf, ond Pedr oedd yr ymchwilydd mwyaf diamynedd. Tra safai ei gyd-ddisgybl y tu allan, aeth Pedr i mewn i'r bedd, a darganfod nad oedd dim i'w weld ar wahân i'r llieiniau a rwymwyd am gorff Iesu, a'r cadach a fu am ei ben. Cofier i Lasarus ddod allan o'r bedd â'r llieiniau amdano (11: 44), ond yr oedd corff Iesu wedi ymryddhau o'r llieiniau, sy'n profi fod yr hyn a ddigwyddodd i Iesu'n sylfaenol wahanol i'r hyn a ddigwyddodd i Lasarus. Nid cael ei adfywio a wnaeth Iesu, ond ei atgyfodi, i ffurf newydd ar fodolaeth.

Nid yw Pedr yn llawn ddeall arwyddocâd yr hyn a wêl, ond dywedir am y 'disgybl arall', *gwelodd ac fe gredodd* (8). Yn ôl y Bedwaredd Efengyl, nid Pedr ond yn hytrach y Disgybl Annwyl yw'r cyntaf i gredu yn atgyfodiad Iesu. Y mae 'gweld' a 'chredu' yn dermau nodweddiadol o'r efengyl; y mae 'dod i weld' yn gyfystyr â dod i gredu, tra bo dallineb yn gyfystyr ag amheuaeth ac anghrediniaeth. Yn ôl adn. 9 nid oedd y disgyblion wedi eu harwain eto gan yr Ysbryd Glân i ddeall y darnau hynny o'r Ysgrythur y daeth yr Eglwys, maes o law, i'w hystyried yn broffwydoliaethau am atgyfodiad Iesu.

20: 11-18   Iesu'n Ymddangos i Fair Magdalen
(Bore Sul y Pasg)

Er i'r ddau ddisgybl ddychwelyd adref, arhosodd Mair Magdalen wrth y bedd, gan blygu i edrych i mewn iddo. Nid oedd yn wag; y tu mewn iddo yr oedd *dau angel* (o'r Groeg *angelos*, yn golygu naill ai (i) bod goruwchnaturiol, neu (ii) negesydd), ac y mae Mair yn adrodd ei stori iddynt. Fodd bynnag, diflanna'r angylion o'r stori y foment y dywedir i Mair droi a gweld rhywun yn sefyll gerllaw, rhywun yr oedd hithau'n tybio mai'r *garddwr* ydoedd (15). Y mae defnydd Iesu o'r enw *Mair* (16), cyfarchiad tra chyfeillgar a phersonol, yn dangos pa mor agos oedd y berthynas rhwng yr Iesu atgyfodedig a'i ddisgyblion. Oni phwysleisiwyd yn Nameg Corlan y Defaid fod y bugail yn 'galw ei ddefaid ei hun wrth eu henwau' (10: 3)? Dyma enghraifft yn awr o hynny'n digwydd. Gair Aramaeg am 'Arglwydd' neu 'Athro' yw *Rabbwni* (16); yr un gair ydyw yn y bôn â 'rabbi', ond bod 'rabbwni' (y gellir ei ddehongli yn 'fy athro', neu hyd yn oed 'fy athro i') yn llawer mwy personol.

Nid yw *Paid â glynu wrthyf, oherwydd nid wyf eto wedi esgyn at y Tad* (17), yn hawdd i'w esbonio. Yr ystyr yn llythrennol yw, 'Paid â dal gafael ynof'. Gwaherddir Mair rhag cyffwrdd â Iesu, ond yn adn. 27 dyma'r union beth y cymhellir Thomas i'w wneud. Beth sydd i gyfrif am y gwahaniaeth yn ymateb Iesu ar y ddau achlysur? Cofier i Iesu ddweud yn 16: 7 na allai'r Ysbryd gael ei roi hyd nes iddo yntau esgyn at y Tad. Mae'r cyfeiriad at ddyfodiad yr Ysbryd yn adn. 22 yn dangos bod Iesu wedi esgyn (gw. adn. 17b), ac felly roedd Thomas, yn wahanol i Mair, yn rhydd i gyffwrdd ag ef. Efallai bod Mair yn ceisio rhwystro Iesu, mewn rhyw fodd, rhag dychwelyd at y Tad, a hefyd yn ceisio glynu yn yr Iesu yr oedd hithau, fel y gweddill o'r cwmni disgyblion, wedi ei adnabod yn nyddiau ei gnawd, Iesu yr oedd modd cyffwrdd â'i law a'i ganfod â llygaid naturiol, yr Iesu a oedd yn gyfyngedig i le ac amser. Bydd yn rhaid iddi ymgyfarwyddo o hyn ymlaen â'r Iesu atgyfodedig, un na fydd yn gaeth i nag amser na lle, ac a fydd yn gallu ymddangos yn ddirybudd i'w ddisgyblion, ac yna diflannu yr un mor ddirybudd o'u golwg. Cyfeirio at y disgyblion a wna *brodyr* (17); y mae Mair i'w hysbysu am esgyniad Iesu at y Tad. Mae'n amlwg nad yw Ioan yn credu bod ymddangosiadau'r Iesu atgyfodedig wedi dod i ben gyda'i esgyniad yn ôl i'r nef.

20: 19-23 Iesu'n Ymddangos i'r Disgyblion (Nos Sul y Pasg)

Mae'r disgyblion yn cyfarfod y tu ôl i ddrysau clo. Gan i'r Iddewon lofruddio eu Harglwydd, roedd yn dilyn na fyddent yn edrych yn ffafriol ar ei ganlynwyr. Awgrymir bod Iesu wedi symud yn wyrthiol drwy'r drysau cloëdig, ffenomen na fyddai'n bosibl cyn yr atgyfodiad (cofier am adn. 17). Gall *disgyblion* (19) gyfeirio at ragor na'r un-ar-ddeg, ond mae'r disgrifiad o Thomas fel *un o'r Deuddeg* (24) yn dangos yn weddol bendant mai at y deg disgybl y daeth Iesu. Mae Iesu'n eu cyfarch â'r cyfarchiad Iddewig arferol (19, 21), ond mae'n bur sicr yn yr achos hwn bod Ioan yn dehongli *Tangnefedd i chwi!* (21) yng ngoleuni'r hyn a ddywedwyd eisoes yn 14: 27 a 16: 33. Mae Iesu'n dangos iddynt *ei ddwylo a'i ystlys* (20), elfen a gynhwysir gan Ioan er mwyn egluro nad rhith neu ddrychiolaeth oedd Iesu'r atgyfodiad. Y mae Ioan yn awyddus i bwysleisio bod gan Iesu gorff yn dilyn ei atgyfodiad (h.y. nid ysbryd mohono), ond yr oedd yn gorff a oedd wedi ei ogoneddu. (Cofier am y modd y mae Paul yn cyferbynnu rhwng 'corff anianol' a 'chorff ysbrydol', 1 Cor. 15: 44).

Rhoddir i'r disgyblion yr un comisiwn yn union ag a roes y Tad i'r Mab (21b). Yr oedd gwaith Iesu'n arwyddocaol am iddo gael ei 'anfon' gan y Tad; yn yr un modd bydd yr Eglwys, hithau, yn gymdeithas apostolaidd am iddi gael ei hanfon allan i'r byd (Groeg *apostolos* = anfonedig; un wedi ei ddanfon ar gomiswn). Ni adewir yr Eglwys i gyflawni ei chenhadaeth ar ei liwt ei hunan, yn ddigymorth a digefnogaeth. Dyma ddod at foment fawr cyflawni'r addewid am ddyfodiad yr Ysbryd – rhodd, fel y dywedwyd droeon yng nghorff yr efengyl, a fyddai'n dilyn dyrchafiad ac ymadawiad Iesu (7: 39; 16: 7). Y mae *anadlodd* (22) yn ein hatgoffa ar unwaith o Gen. 2: 7. Fel yr anadlodd Duw anadl einioes i mewn i'r Adda cyntaf, y mae'r ail Adda yn awr yn anadlu bywyd i mewn i'r Eglwys, y greadigaeth newydd.

Nid yw adn. 23 fe pe bai'n gorwedd yn esmwyth yn y fan hon, ac yn sicr nid yw'n hawdd ei hegluro. Rhaid ei hystyried yn amrywiad o ryw fath ar Mth. 16: 19 a 18: 18. Yr oedd dwy ochr i weinidogaeth Iesu, maddau pechodau, a pheidio â'u maddau (a olygir bod rhywrai'n barod i dderbyn maddeuant ganddo, tra bo eraill yn dewis ei wrthod?), a bydd cenhadaeth yr Eglwys yn cael yr un effaith.

20: 24-29 Anghrediniaeth Thomas

Yn Efengyl Ioan yn unig y ceir yr adroddiad hwn. Am *Thomas, a elwir Didymus* (24), gweler y nodyn ar 11: 16. Roedd yn absennol o'r cyfarfod ar nos Sul y Pasg, a heb iddo gael prawf 'gwyddonol' bod Iesu'n fyw, ni allai dderbyn adroddiad ei gyd-ddisgyblion am atgyfodiad Iesu. Yn adn. 25 ceir enghraifft bellach o'r cyswllt hanfodol rhwng 'credu' a 'gweld': i Thomas yr oedd 'gweld' yn golygu canfod â llygaid naturiol; i awdur yr efengyl, golyga weld â llygaid ffydd.

Ar y Sul canlynol ymddengys Iesu i'w ddisgyblion drachefn. Er bod y drysau'n gaeëdig, saif Iesu ymhlith ei ganlynwyr a'u cyfarch yr un modd ag a wnâi cynt. Mae'n cynnig i Thomas y prawf a ddisgwyliai (27), ond y mae yntau'n ymwrthod â'r cyfle. Bellach nid oes angen prawf. Yn hytrach fe wna Thomas ei gyffes fawr o ffydd, *Fy Arglwydd a'm Duw!* (28). Dyma ddatganiad Cristolegol terfynol Ioan, ac ym marn llawer, uchafbwynt ei efengyl. Ar y dechrau cyhoeddwyd mai 'Duw oedd y Gair' (1: 1); ailadroddir hyn yn awr ar derfyn yr efengyl, ac yn eironig (a rhaid credu, rhywsut, bod yr eironi'n fwriadol) yr un sy'n gyfrifol am wneud y datganiad yw neb llai na'r gŵr a gafodd anhawster mawr i dderbyn tystiolaeth ei gyfeillion am yr atgyfodiad. Y mae *Arglwydd* yn dwyn i gof gyffes gynharaf yr Eglwys, sef, 'Iesu yw'r Arglwydd', ac y mae *Duw* yn pwysleisio dwyfoldeb Iesu. O'r cychwyn cyntaf pwrpas Ioan oedd dangos mai Iesu yw'r Gair Dwyfol a ymgnawdolodd ymhlith dynion er mwyn eu hiachawdwriaeth.

Cyrhaeddodd Cristoleg Ioan ei benllanw. Ac eto, nid yw ffydd Thomas yn gyflawn gan ei bod o hyd yn ddibynnol ar weld. Bydd Cristionogion y dyfodol (na chawsant erioed gyfle i 'weld' Iesu'n gorfforol fel y gwnaeth Thomas) yn credu ar sail tystiolaeth yr apostolion yn unig, ac o'r herwydd byddant yn wynfydedig. Ni bydd eu ffydd yn gorffwys ar arwyddion a rhyfeddodau, na chwaith ar ganfod â llygad naturiol, ond yn unig ar barodrwydd i ymddiried yn gyfan gwbl yng ngair Crist.

20: 30-31 Amcan y Llyfr

Prin y gellir amau mai'r adnodau hyn oedd diweddglo gwreiddiol yr efengyl. Am ystyr yr *arwyddion*, gweler y nodyn ar 2: 1-11. Pwrpas Ioan wrth gyfansoddi ei waith oedd ennyn a meithrin ffydd yn Iesu, mai ef yw'r *Meseia, Mab Duw* (31) – dau derm Cristolegol y gwna ddefnydd cyson ohonynt yn ei waith. Daeth y Gair yn **gnawd**: yr oedd Iesu'n wir ddyn, ac ar hyd ei rawd ar y ddaear yn ddynol; ond yr hyn a ddaeth yn gnawd oedd **y Gair**, sef Gair Duw: yr oedd Iesu o Dduw. Credu hyn yw'r ffordd at fywyd tragwyddol. Nid yw adn. 31 yn egluro ai i bwrpas credinwyr neu anghredinwyr yr ysgrifennwyd yr efengyl.

21: 1-14 Iesu'n Ymddangos i'r Saith Disgybl

Diweddwyd yr efengyl gyda'r datganiad ynglŷn â'i phwrpas yn 20: 30, 31. Mae'n amlwg fod pen. 21 yn atodiad (yn ôl John Marsh dyma'r 'Epilog'), ac eto mae'n cyfeirio at ddigwyddiadau penodol y soniwyd amdanynt yng nghorff yr efengyl (gw. adn. 14, 20). Ni chyhoeddwyd yr efengyl erioed heb yr atodiad, ac y mae arddull y bennod ychwanegol hon yn debyg iawn i arddull gweddill yr efengyl, ffeithiau sy'n awgrymu mai gwaith yr awdur ei hunan yw pen. 21. Ond ni cheir cytundeb ar y cwestiwn. Maentumia rhai esbonwyr mai rhai o ddisgyblion yr awdur a luniodd y bennod (ai hwy yw 'ni' yn 21: 24?); buont yn gwrando'n fynych ar awdur pen. 1-20 yn ymdrin â'r themau a gynhwysir ynddi yn ystod gwasanaeth y Cymun ar y Suliau yn Effesus, aethant ati i osod cynnwys pen. 21 at ei gilydd, ac ychwanegu'r deunydd at yr efengyl wreiddiol.

Y mae cwmni o saith disgybl (yn cynnwys dau ddisgybl y Bedwaredd Efengyl, Thomas a Nathanael; y triawd pysgotwyr, Simon Pedr, Ioan ac Iago; a dau ddisgybl di-enw), yn penderfynu mynd i bysgota ar Fôr Tiberias, sef Llyn Galilea. Daeth y cymhelliad i wneud hynny oddi wrth Simon Pedr (3) a oedd wedi dychwelyd adref mewn dryswch (gw. 20: 10); gan fod ei Arglwydd wedi ei groeshoelio, a'i genhadaeth, i bob golwg, yn fethiant, nid oedd dim amdani'n awr ond ailgydio yn yr hen grefft a fu'n gyfrwng bywoliaeth feunyddiol iddo cyn iddo gyfarfod â Iesu. (Hwyrach nad oedd erioed wedi gollwng y rhwydau a'r offer o'i ddwylo, hyd yn oed wedi iddo ddod yn ddisgybl.) Mae gweddill y grŵp yn cydsynio. O gofio am ddigwyddiadau 20: 19-29 mae'n anodd iawn deall eu bwriad; byddai'r hanes hwn yn gwneud llawer mwy o synnwyr fel ymddangosiad cyntaf Iesu i'w ddisgyblion yn hytrach na'r trydydd. Peth arall sy'n anodd ei esbonio yw'r naid sydyn o Jerwsalem i Galilea. Fel Luc y mae Ioan wedi lleoli ymddangosiadau'r Iesu atgyfodedig yn, neu o amgylch, Jerwsalem, tra bo Marc a Mathew yn eu gosod yng Ngalilea. Mae'n bosibl y bu'n rhaid i awdur y bennod symud yr olygfa i fyny i Galilea er mwyn egluro'r helfa wyrthiol o bysgod. Mae'r hanes a gofnodir yma yn debyg iawn i'r hyn a geir yn Lc. 5: 1-11, gyda'r gwahaniaeth pwysig nad oes a wnelo'r hyn a adroddir gan Luc â'r atgyfodiad ond yn hytrach â galw'r disgyblion cyntaf. Mae'n debygol, felly, mai'r hyn a wnaeth yr awdur yn y fan hon oedd cymryd deunydd traddodiadol a'i ddefnyddio i'w bwrpas diwinyddol ei hunan. Ei amcan ym mhen. 21 yw darlunio cenhadaeth apostolaidd yr Eglwys, a phrofi fod yr Iesu byw yn bresennol gyda'i ddisgyblion ynghanol holl her a helbul y genhadaeth honno.

Er gwaethaf eu hymdrechion taer, ac er bod y mwyaf profiadol ohonynt yn adnabod Llyn Galilea fel cefn eu llaw, aflwyddiannus fu ymgyrch bysgota'r saith disgybl y noson honno. Ar doriad gwawr, ond heb yn wybod i'r disgyblion, ymddengys Iesu ar y traeth (4). Y mae ei gyfarchiad – *fechgyn* (5) – yn gwbl wahanol i'r hyn a geir ym mhen. 1-20. Ar gyfarwyddyd Iesu llwyddir i sicrhau helfa anhygoel o bysgod. Mae'n debyg yr ystyrid ochr dde y cwch yn ochr lwcus, ond yr hyn a bwysleisir gan Ioan yw'r ffaith fod llwyddiant y disgyblion yn ganlyniad uniongyrchol i'w hufudd-dod i orchymyn Iesu (gw. Lc. 5: 4-7).

Nid yn annisgwyl (cymh. 20: 1-10), y Disgybl Annwyl yw'r cyntaf i adnabod Iesu, a Phedr yw'r cyntaf i weithredu ar gorn hynny. Ni roddir enw'r *disgybl hwnnw yr oedd Iesu'n ei garu* (7). Gallasai fod yn unrhyw un o'r saith, ar wahân i Pedr, wrth gwrs, gan fod cyfeiriad penodol ato yntau. Ai (i) Ioan fab Sebedeus ydyw, neu (ii) un o'r *ddau arall o'i ddisgyblion* (2)? Bernir gan rai fod yr awdur, o fwriad, yn gochel datgelu hunaniaeth y Disgybl Annwyl, hynny, efallai, am mai creadigaeth ddychmygol yr awdur ei hunan ydyw'r ffigwr enigmatig hwn, ac nad ydyw, mewn gwirionedd, yn berson hanesyddol, o gig a gwaed. O barch at Iesu y mae Pedr yn rhoi ei wisg uchaf amdano, er mwyn cuddio ei noethni (gweithred nodweddiadol Iddewig), a naill ai y mae'n cerdded neu'n nofio drwy'r dŵr i'r lan. Y mae'r lleill yn dilyn, gan lusgo'r rhwyd. Nid oeddent ond *rhyw gan llath* (8) o'r tir. Wedi cyrraedd y lan, gwelsant fod paratoadau eisoes wedi dechrau ar gyfer pryd o fwyd, fod pysgod yn coginio ar dân golosg, a bod bara wedi ei osod. Fe'u gwahoddir i ychwanegu pysgod o'r helfa a gawsant, ac i ymuno â Iesu am frecwast. Sut mae dehongli'r hanes?

A. Ai naratif syml, uniongyrchol a geir yma? Roedd y disgyblion wedi blino ar eu cenhadaeth; maent yn dychwelyd i Galilea, yn cyfarfod â Iesu, yn dal 153 o bysgod (roeddent yn cofio'r nifer, am ei fod yn odrif), ac yn ymuno â Iesu am frecwast ar y tywod.

B. Mae'n fwy tebygol fod Ioan wedi bwriadu i'r hanes fod yn alegori am genhadaeth yr eglwys (cymh. Lc. 5: 10: 'Paid ag ofni; o hyn allan dal dynion y byddi di.'):

(i) Mae'r pryd o fara a physgod yn ein hatgoffa o 6:11; y mae i'r ddau bryd gysylltiadau ewcharistaidd. Yn y darluniau ar furiau'r catacwmau yn Rhufain ceir nifer o enghreifftiau o fara a physgod yn cael eu cydosod yn elfennau yn Swper yr Arglwydd.

(ii) Mae'r helfa bysgod yn arwydd o lwyddiant y genhadaeth apostolaidd.

(a) Credid yn yr amser hwn fod 153 o fathau o bysgod yn y môr. Y mae cenhadaeth yr eglwys yn fyd-eang, a rhwyd y Deyrnas yn dal pobl o bob llwyth a chenedl.

(b) Y mae 153 yn symbol o gyfanrwydd a pherffeithrwydd. Y mae'n rhif trionglaidd, gydag 1 ar y brig ac 17 ar y gwaelod. O adio 17+16+15...+3+2+1 gyda'i gilydd ceir cyfanswm o 153. Cyrhaeddir at 17 trwy adio 10 a 7, ac fel y gwyddys, 7 yw'r rhif perffaith i'r Iddew. Ni bydd na rhwyg na rhaniad yn y genhadaeth Gristionogol; bydd yn amgylchynu'r byd yn grwn, ac yn ymestyn allan i bob cenedl.

Er gwaethaf maint a phwysau'r pysgod *ni thorrodd y rhwyd* (11). Y mae'r eglwys yn cynnwys pobl o bob math a chyflwr, o bob iaith a chenedl, o bob lliw a llun, ac y mae lle ynddi i bob un yn ddiwahân.

21: 15-19 Portha Fy Nefaid

Yn dilyn y pryd bwyd ar y lan y mae Iesu'n holi Simon Pedr, *fab Ioan* (15, sylwer nad yw Iesu'n defnyddio 'Pedr', ei enw

Cristionogol), a oedd yn ei garu *yn fwy na'r rhain?*, a all olygu: (i) yn fwy na'r offer pysgota, a'r rhwydi a'r cychod, arwyddion o'r bywyd seciwlar, materol; neu (ii) yn fwy nag a wnâi'r disgyblion eraill. Er mai (ii) yw'r mwyaf tebygol, y mae'r ddau, sef (i) a (ii) gyda'i gilydd, yn bosibl. Yr hyn a wna'r paragraff yw delio ag adferiad Pedr. Ac yntau, deirgwaith, wedi gwadu unrhyw adnabyddiaeth o Iesu, rhoddir iddo gyfle yn awr – a hynny deirgwaith – i ddatgan ei gariad at Grist. *Agape* yw'r gair am 'gariad' yn y ddau gwestiwn cyntaf, a *philein* yn y trydydd (sylwer ar y darlleniad amgen, posibl, *A wyt ti'n gyfaill i mi?*), ond nid oes unrhyw wahaniaeth mawr yn yr ystyr. Ar sail ei gyffes o gariad apwyntir Pedr yn fugail. (Prin fod unrhyw wahaniaeth ystyr rhwng *ŵyn* a *defaid*.) Iesu ei hunan yw Bugail Mawr y praidd (gw. 10: 11-16), ac yn awr y mae'n neilltuo Pedr i fod yn brif fugail (=gweinidog) ei eglwys ar y ddaear (cymh. Mth. 16: 18). Yr oedd y wedd fugeiliol ar swydd yr offeiriad yn bwysig yn yr Eglwys Fore.

Ynghyd â disgrifio swyddogaeth Pedr yn yr eglwys, y mae Iesu hefyd yn rhagweld ei dynged fel merthyr Cristionogol (19). Yn 13: 36 nid oedd yn bosibl iddo ganlyn Iesu, ond yn awr fe'i hanogir i wneud hynny – *Canlyn fi* (19). Y mae'n dra thebyg bod *estyn dy ddwylo* (18) yn disgrifio dull ei farwolaeth, sef trwy groeshoelio. Y mae'r awdur yn gosod y broffwydoliaeth am ferthyrdod Pedr ar wefusau Iesu, ac o gofio i'r efengyl gael ei hysgrifennu ymhell ar ôl i hyn ddigwydd y mae'n dilyn y ceir yma dystiolaeth sicr am y modd y bu Pedr farw. Gwyddys iddo gael ei groeshoelio yn Rhufain, yn ystod teyrnasiad yr Ymerawdwr Nero, yn 64 OC.

21: 20-25 Y Disgybl Annwyl

Try'r sylw yn awr at y Disgybl Annwyl, sef yr un a bwysodd ar fynwes Iesu yn ystod y Swper, ac a'i holodd ynglŷn â phwy a'i bradychai. Unwaith eto, yn unol ag arfer Ioan, ni ddatgelir ei enw. Naill ai ef (i) yw y *disgybl ... sydd wedi ysgrifennu'r pethau hyn* (24), ac un a oedd, felly, yn llygad-dyst pwysig i'r *pethau hyn*, neu (ii) y mae'n ffigwr symbolaidd, dyfais lenyddol, a diwinyddol, o eiddo'r awdur. Awgryma Alan Richardson ei bod yn bosibl mai ef oedd yr un olaf i oroesi o blith y rhai a welodd Iesu hanes, ac o'r herwydd iddo fod yn gymeriad allweddol bwysig yn rhengoedd yr Eglwys Fore.

Rhoddir ateb nacaol i gwestiwn Pedr (22). Nid mater iddo ef yw bwriadau Duw ar gyfer y Disgybl Annwyl; ei unig ddyletswydd yntau yw ymroi i ddilyn ei Arglwydd, a pheidio â phoeni am dynged eraill. Camddeallwyd ateb Iesu, a daethpwyd i gredu y byddai'r *parowsia* yn digwydd cyn bod y Disgybl Annwyl yn marw. Mae'n debyg i'r disgybl hwnnw farw cyn i'r bennod gael ei chwblhau, ac roedd siom gyffredinol, felly, am nad oedd yr ailddyfodiad eisoes yn ffaith. Eglura'r awdur na wnaeth Iesu unrhyw broffwydoliaeth: y cyfan a ddywedodd oedd, *Os byddaf yn dymuno iddo aros hyd nes y dof fi, beth yw hynny i ti?* (23b). Y mae Pedr i ddilyn Crist, i gyflawni ei weinidogaeth, a thrwy ei farwolaeth i ddwyn tystiolaeth i'w Arglwydd. Ac y mae'r Disgybl Annwyl hefyd i ddilyn a thystiolaethu, ond mewn ffordd wahanol.

Cyfeirir at y Disgybl Annwyl fel y person y mae'r efengyl yn ddibynnol arno am ei dystiolaeth. Unwaith eto ni roddir ei enw. Os ef yw awdur y bennod atodol, neu hyd yn oed yr efengyl gyfan, gall hyn esbonio'r ffaith nad yw'n datgelu pwy ydyw. Gall *y pethau hyn* (24) gyfeirio at naill ai (i) y paragraff clo, h.y. adn. 20-25; neu (ii) pen. 21; neu (iii) yr efengyl gyfan. Y mae C.K. Barrett yn ffafrio (iii). Felly, ychwanegwyd adn. 24 at yr efengyl gan y rhai a'i cyhoeddodd gyntaf, a hynny ar sail y gred i'r efengyl gael ei hysgrifennu gan y Disgybl Annwyl.

. Nid yw'n hollol eglur pwy yw 'ni' yn *fe wyddom ni* yn adn. 24. Efallai y cyfeiria at yr eglwys yn Effesus, os mai yno y cyfansoddwyd yr efengyl. Cofier am y cyfeiriad yn y *Dernyn Muratori* bod eraill wedi cymell Ioan i ysgrifennu'r efengyl, gan addo ei gynorthwyo gyda'r gwaith. Mae'r efengyl gyfan, wrth gwrs, yn seiliedig ar dystiolaeth yr apostolion.

Cyfeirio at yr awdur ei hunan a wna *i'm tyb i* yn adn. 25. Y mae *llawer o bethau eraill* yn adleisio *llawer o arwyddion eraill* yn 20: 30.

LLYFRYDDIAETH

Ashton, J.	*Understanding the Fourth Gospel*, Rhydychen: Clarendon Press, 1991
Ashton, J.	*Studying John*, Rhydychen: Clarendon Press 1994
Barrett, C.K.	*The Gospel According to St. John*, Llundain: SPCK, 1972
Beasley-Murray, G.	*John*, Word Biblical Commentary, Waco: Word, 1987
Brown, R.E.	*The Gospel According to John*, Efrog Newydd: Geoffrey Chapman, 1966, 1971 (2 gyfrol)
Culpepper, R.A. & Black, C.C. (gol)	*Exploring the Gospel of John: In Honour of D. Moody Smith*, Louisville: Westminster John Knox Press, 1991
Dodd, C.H.	*The Interpretation of the Fourth Gospel*, Caergrawnt: CUP, 1953
Dodd, C.H.	*Historical Tradition in the Fourth Gospel*, Caergrawnt: CUP, 1963
Fenton, J.C.	*The Gospel According to John*, New Clarendon Bible, Rhydychen: Clarendon Press, 1970
Filson, Floyd V.	*Saint John*, Layman's Bible Commentaries, Llundain: SCM Press, 1964
Hunter, A.M.	*The Gospel According to John*, The Cambridge Bible Commentary on the NEB, Caergrawnt: CUP, 1965
Köstenberger, A.J.	*Encountering John: The Gospel in Historical, Literary and Theological Perspective*, Grand Rapids: Baker Books, 1999

Lindars, B.	*The Gospel of John*, New Century Bible, Llundain: Marshall, Morgan & Scott, 1972
Lindars, B.	*John*, New Testament Guides, Sheffield: Sheffield Academic Press, 1990
Marsh, J.	*Saint John*, The Pelican New Testament Commentaries, Llundain: Penguin Books, 1971
Richardson, A.	*Saint John*, Torch Bible Paperbacks, Llundain: SCM Press, 1976
Schnackenburg, R.	*The Gospel According to St. John*, Llundain: Burns & Oates, 1968, 1980, 1982
Smith, D. Moody	*The Theology of the Gospel of John*, Caergrawnt: CUP, 1995
Smith, D. Moody	*John*, Abingdon New Testament Commentaries, Nashville: Abingdon Press, 1999
Stibbe, M.W.G.	*John*, Readings: A New Biblical Commentary, Sheffield Academic Press, 1993
Strachan, R.H.	*The Fourth Gospel: its Significance and Environment*, Llundain: SCM Press, 1960
Temple, W.	*Readings in St. John's Gospel*, St. Martin's Library, Llundain: Macmillan, 1961
Williams, C.H.	'Gwybod y Geiriau ac Adnabod y Gair: Iesu yn ôl Efengyl Ioan', *Cenadwri a Chyfamod*, gol. G. Lloyd Jones, Dinbych: Gwasg Gee, 1995, tud. 206-236

CYFRES O ESBONIADAU

Detholion o Genesis
Noel A. Davies

Llyfr Deuteronomium
Gwynn ap Gwilym

1 a 2 Samuel
Gwilym H. Jones

Detholion o Jeremeia
Gareth Lloyd Jones

Hosea a Micha
Eryl Wynn Davies

Joel ac Amos
Wil Huw Pritchard

Efengyl Marc
David P. Davies

Efengyl Ioan
Desmond Davies

Actau'r Apostolion
Tom R. Wright

Llythyrau at y Galatiaid a'r Philipiaid
John Tudno Williams

Y Llythyr at yr Hebreaid
D. Hugh Matthews

Llyfr Datguddiad
Catrin Haf Williams